*Fernanda Magalhães
e Danielle Mattioly*

Materneasy

O guia para a maternidade mais fácil
Do positivo ao primeiro ano do bebê

MATERNEASY – O guia para a maternidade mais fácil

1ª edição: Novembro 2020
Direitos reservados desta edição: CDG Edições e Publicações

O conteúdo desta obra é de total responsabilidade das autoras e não reflete necessariamente a opinião da editora.

Autoras:
Fernanda Magalhães
Danielle Mattioly

Revisão:
Letícia Santana

Projeto gráfico:
Jéssica Wendy

Ilustrações Capa e Miolo:
Designed by gstudioimagen / Freepik

DADOS INTERNACIONAIS DE CATALOGAÇÃO NA PUBLICAÇÃO (CIP)

Magalhães, Fernanda.
    Materneasy : o guia para a maternidade mais fácil do positivo ao primeiro ano do bebê / Fernanda Magalhães e Danielle Mattioly. -- Porto Alegre : CDG, 2020.

240 p.

ISBN: 978-65-87885-06-3

    1. Maternidade 2. Gestação 3. Mães e filhos 4. Lactentes - Cuidado e tratamento I. Título II. Mattioly, Danielle

20-3551   CDD 612.63

Angélica Ilacqua - Bibliotecária - CRB-8/7057

Produção editorial e distribuição:

contato@citadel.com.br
www.citadel.com.br

Para Vicky, Juju e Dudu

Criado por mães e para mães, *Materneasy* é o guia para uma maternidade mais fácil, simples e leve.

Iniciando desde a descoberta do positivo e indo até o primeiro ano do bebê, passando por todas as fases da gestação, do planejamento, o parto, nascimento e muito mais.

Tudo que a futura mamãe de primeira viagem precisa saber, reunido em um único lugar de forma prática, objetiva e com detalhes que só uma outra mãe poderia contar.

Enquanto idealizadoras da rede de mães Materneasy, esperamos que você encontre neste material as informações necessárias para começar a trilhar o seu caminho na maternidade.

No início, parece que você está perdida em uma floresta sem saber qual trilha seguir. Não se preocupe, o Materneasy será o seu mapa.

ABRAÇOS,
FERNANDA E DANIELLE

SUMÁRIO

Introdução 15
    Bem-vinda ao Materneasy!   15
    Como ler o livro   17

Gestante 19
    Deu positivo. E agora?   21
    Cronograma e checklists   24
        Cronograma   24
        Checklists   24
    Mar de informações – Gestante   25
    Cuidados com a gestante   26
    E o trabalho? Como fica?   29
    Direitos da Gestante   32
        Consultas e exames   32
        Estabilidade no emprego   32
        Licença-maternidade   33
        Amamentação   33
        Sindicatos   34
    Planejamento: a casa   34
    Planejamento: o quarto do bebê   38
        O berço e onde dormir   40

A cômoda e onde trocar fraldas	41
Outros móveis	43
A decoração	44
Planejamento: o enxoval do bebê	**46**
Roupas e a parte de tecidos do enxoval	48
Carrinho	50
Bebê conforto e cadeirinha do carro	54
Berço portátil	57
Babá eletrônica	58
Bolsa do bebê	59
Banheira	60
Itens de uso exclusivo do bebê	62
Planejamento: os consumíveis do bebê	**64**
Fraldas	64
Protetor solar e repelente	66
Dicas gerais	66
Produtos alternativos	67
Planejamento: eventos	**67**
Chá de revelação	68
Chá de fraldas	69
Ensaio gestante	70
Festa e lembrancinhas na maternidade	71
Ensaio *newborn*	71
Mêsversários	72
Planejamento: consulta pré-natal com o pediatra	**72**
Planejamento: amamentação/alimentação inicial do bebê	**74**
Preparação dos seios	75
Golden Hour	76
Fases do leite materno	77

Técnicas e posições para amamentar	78
Fissura nos mamilos e dores na amamentação	79
Fórmulas lácteas	81
Planejamento: o parto – Parte 1	**82**
Escolha da maternidade	83
Parto humanizado	85
Tipos de parto	86
Parto vaginal	**86**
Parto cirúrgico	**86**
Trabalho de parto	**86**
Métodos para alívio de dor: naturais x farmacológicos	88
Métodos naturais	88
Métodos farmacológicos	89
Planejamento: o parto – Parte 2	**90**
Profissionais envolvidos no parto	90
Quando ir para a maternidade	92
Principais intervenções no trabalho de parto	94
Plano de parto	96
Equipe de foto/filmagem	99
Planejamento: malas da maternidade	**99**
Mala da mamãe e papai	101
Mala do bebê	101
Lembrancinhas e outros itens	102
A caminho da maternidade	102
Planejamento: acertos finais	**103**
Casa	103
Burocracia e questões financeiras	104
Ajuda nos primeiros dias	104
Combinados para a maternidade	105

Visitas em casa ... 105

Recém-nascido ... 107

Nasceu. E agora? ... 109

Mar de informações – nova mamãe ... 112

Cuidados com a mamãe ... 113

Toma que o filho é teu ... 115

Cuidados básicos com o recém-nascido ... 117

    Cuidados com o umbigo ... 119

    Higiene e cuidados com o bebê ... 119

    Banho de sol ... 121

    Desconforto do bebê ... 121

    Arroto ... 122

    Swaddle/Charutinho ... 123

    Como identificar se o bebê está com frio ou com calor? ... 123

    Moleira do bebê ... 124

O checklist do choro ... 124

    Excesso de estímulo ... 125

    Fome ... 126

    Fralda ... 126

    Emoções ... 127

    Cansaço ... 127

    Tédio ... 127

    Sono ... 128

    Sentir ... 128

Bebê ... 129

Saindo com o bebê ... 131

A importância da rotina ... 134

Sono do bebê – a teoria ... 136

Conceitos importantes 137
    Ciclo circadiano e os mecanismos do sono 138
    Fases do sono 139
    Sinais de sono 140
    Janelas de sono 140
    Associações de sono 142
    O sono do recém-nascido aos três meses 143
    O ritual de sono 145
    O choro 145
Mitos sobre o sono do bebê 146

Sono do bebê – a prática **147**
    O lugar para o sono 149
    O ritual do sono 149
    Estratégias para a condução do sono 150
        Swaddle/Charutinho 151
        Técnica do travesseiro/ninho 152
        Shhhhhhh e ruído branco 153
        Contenção e tapinhas no bumbum 153
        Comandos e bebês que ficam em pé na grade do berço 154
        Desmame noturno 156
        Bebês madrugadores 156
    Dicas preciosas 157

Marcos de desenvolvimento **159**

Estimulando e brincando com o bebê **161**

Introdução alimentar – a teoria **163**
    Quando começar? 164
    Principais métodos para introdução alimentar 165
        Tradicional 165
        BLW 165

Bliss	165
Participativa	166
Aspectos comportamentais na introdução alimentar	166
Sinais de fome e saciedade	167
GAG x Engasgo	168
Engasgo	168
Reflexo de GAG	169
Introdução alimentar – a prática	**169**
Enxoval da introdução alimentar	170
Louças e talheres infantis	170
Pote térmico	170
Babadores	171
Assentos exclusivos para a criança	171
Itens de plástico	172
Organização e planejamento	172
Quantas refeições meu bebê precisa fazer?	174
O que deve ter nas refeições do bebê?	175
Consistência dos alimentos	176
Processo e preparo das refeições	177
Papinhas versão 1.0	178
Papinhas versão 2.0	179
Constipação e introdução alimentar	179
Alimentos proibidos e contra indicados	180
Dicas	181

Mamãe e Papai 183

Retorno ao trabalho	**185**
Quem vai ficar com o bebê?	186
Prepare seu corpo e a alimentação do bebê	188
Organize a rotina da casa	189

Organize a rotina do bebê	189
Algumas dicas para a volta	189
A importância da leitura	190
Entretenimento dos pais	193
Um papo de homem pra homem	196

Conclusão 199
Anexos 201

Deu positivo e agora?	201
Glossário de siglas	201
Cronograma e checklist	203
Cronograma	203
Planejamento: o enxoval do bebê	205
Enxoval do bebê	205
Roupas	206
Checklist do bebê	208
Casa	208
Higiene e saúde	209
Passeio	211
Diversos	212
Roupas	213
Para a mamãe	214
Planejamento: eventos	215
Chá de fraldas	215
Planejamento: malas da maternidade	216
Mala da mamãe e do papai	216
Mala do bebê	218
A importância da rotina	219
Rotina	219

    Legenda   219

    Exemplo de rotina – Bebê de 4 meses (que fica em casa)   220

    Exemplo de rotina – Bebê de 6 meses (que vai para a creche em período integral)   221

    Exemplo de rotina – Bebê de 8 meses (que vai para a creche meio período)   222

    Exemplo de rotina – Bebê de 10 meses (que vai para a creche meio período)   223

    Exemplo de rotina – Bebê de 12 meses (que fica em casa e faz duas sonecas)   224

    Exemplo de rotina – Bebê de 12 meses (que fica em casa e faz uma soneca)   225

Sono do bebê – a teoria   **226**

    Tabela de sono do bebê   226

    Sinais de sono   227

Marcos de desenvolvimento   **227**

    Tabela de Denver II   228

Introdução alimentar – a prática   **229**

    Enxoval da introdução alimentar   229

    Grupos alimentares   231

    Cardápio semanal   232

INTRODUÇÃO

Bem-vinda ao *Materneasy!*

Seja bem-vinda ao *Materneasy*, o guia criado por mães e para mães com o intuito de auxiliar você que acabou de receber um positivo no exame de gravidez e aterrissou no planeta Maternidade.

Não sabe por onde começar? O que precisa fazer ou o que fazer primeiro? Já está pensando no quarto do bebê e, ao mesmo tempo, com medo de não saber identificar o motivo quando ele chorar? Entrando em pânico por imaginar que sua vida já é uma correria e como será com o bebê? Primeiro, fique calma e respire. Você tem alguns meses pela frente. E, segundo, estaremos com você em cada um desses passos. Vamos te ajudar a navegar neste planeta, te daremos o mapa e mostraremos os caminhos.

O *Materneasy* é um conjunto abrangente e completo de todos os temas que vão desde o positivo até o fim do primeiro ano da vida do bebê. Você terá em um só lugar toda a informação necessária para se guiar e para aumentar seus conhecimentos nos temas que acredita serem mais relevantes ou tiverem mais a ver com você.

Temas como os planejamentos necessários para a chegada do bebê, parto, sono e introdução alimentar são apenas alguns dos módulos. Mas não paramos por aí. Falamos de trabalho, de cuidado com você e o bebê e até de sugestões de livros e de filmes para este momento tão especial.

A maioria dos livros, cursos e materiais disponíveis à gestante abrange apenas uma pequena parte desse maravilhoso planeta Maternidade. Alguns abordam somente o parto ou o sono, outros somente cuidados com o recém-nascido. O *Materneasy* vai além. Falaremos de planejamento do chá de fraldas e de como escolher o carrinho ideal, do que perguntar e observar quando conhecer a maternidade e o que ninguém te conta quando o bebê nasce e até de direitos da gestante e Imposto de Renda.

Apesar de estarmos nos direcionando a você, futura mamãe, este livro é para toda a família. Leia e comente com seu companheiro, com os avós, padrinhos ou outras pessoas que estarão diretamente ligadas ao cuidado com o bebê. Discutam sobre o conteúdo de cada capítulo após a leitura.

Materneasy vem da junção das palavras *Maternidade* e *Easy*, que significa "fácil" em inglês. E é isso que esperamos com este conteúdo proporcionar a você: uma maternidade mais fácil, mais leve e mais simples.

OBRIGADA,

REDE DE MÃES MATERNEASY

INTRODUÇÃO

Como ler o livro

Algumas pessoas gostam de assistir séries um episódio por semana. Outras preferem maratonar todos os episódios de uma vez.

Não tem problema se quiser maratonar o livro e ler tudo, pode fazer isso, sim. Mas os meses irão passar e é bom dar uma revisada no conteúdo de tempos em tempos.

Temos uma sugestão para você:

- Leia todos os capítulos de "Gestante" e "Recém-nascido" antes do bebê nascer.
- Reveja a partir do capítulo "Malas da maternidade" até o "Estimulando e brincando com o bebê" a partir da 32ª semana de gestação, para se preparar bem para a reta final.
- Assim que o bebê nascer, leia, releia, leia novamente e leia mais uma vez, o capítulo de "Sono do bebê". E quando acabar, leia de novo só para garantir.
- Quando o bebê estiver com cerca de 3 meses, leia o capítulo "Retorno ao trabalho". Se sua licença-maternidade for mais longa, pode adiar um pouco.
- Quando o bebê estiver com cerca de 5 meses, leia o capítulo de "Introdução alimentar" para se preparar para a próxima fase que logo chegará.
- Leia os capítulos "Importância da leitura" e "Entretenimento dos pais" a qualquer momento. É necessário um tempo para relaxar também.

O formato do *Materneasy*, com capítulos segmentados por tópicos bem definidos, é justamente para ser consultado, lido e relido com frequência. Afinal, é bastante coisa para absorver e colocar em prática. Tenha também como guia de consulta rápida os materiais anexos, disponíveis no final do livro.

Parabéns por estar aqui buscando informação, se preparando e se antecipando aos desafios. Estaremos com você a cada passo.

GESTANTE

Deu positivo. E agora?

"Tô grávida, e agora?" A descoberta da gravidez pode ser tão mágica quanto assustadora. É notadamente transformador o poder de um resultado positivo em nossa vida.

Neste momento, não sabemos o que fazer, como contar, para quem contar. Respire fundo. Se o seu desejo for contar imediatamente para os pais, amigos e familiares, ótimo! Se for do seu desejo aguardar e contar por volta do terceiro mês, tudo bem também! A decisão é sua e fique tranquila, não há certo ou errado nessa questão.

O primeiro passo agora é procurar um obstetra, o médico que estará com você todos os meses, ajudando, acolhendo e tirando suas dúvidas. Para isso, procure um profissional que sinta confiança, empatia e te transmita segurança. Em sua primeira consulta, o médico analisará todo o seu histórico, hábitos de vida e alimentação, além de esclarecer suas dúvidas.

Uma bateria de exames será solicitada neste primeiro momento: exames de sangue, urina, ultrassonografias. O papanicolau será feito também, caso você não tenha feito no último ano. Não saia da consulta com dúvidas, pergunte e esclareça tudo. Há profissionais que disponibilizam o contato pessoal se houver alguma dúvida ou urgência. Esse ponto pode ser um fator decisivo na escolha do seu obstetra.

Você será presenteada, em sua primeira consulta pré-natal, com a sua mais nova identidade: o cartão da gestante. É nesse cartão que ficarão todos os dados das suas consultas, resultados de exames e vacinas. Esteja sempre com ele. Em caso de urgência, é possível que o profissional consulte todo o registro de atendimento da sua gestação.

Se informe também sobre a sexagem fetal, o exame que possibilita a descoberta do sexo do bebê logo nas primeiras semanas de gestação. Se for realizá-lo vale fazê-lo a partir da 8ª semana.

Além do obstetra, é interessante buscar outros profissionais para o seu próprio cuidado.

Não deixe de consultar um dermatologista. Com a gravidez, precisamos ter precaução com os tipos de produtos que utilizamos em nossa pele. Esse profissional poderá lhe indicar os produtos apropriados e seguros para você e seu bebê.

É aconselhável também consultar um dentista. Durante a gestação, o corpo da mulher está sujeito a várias alterações hormonais, tornando mais suscetível o aparecimento de doenças na boca, como cáries e inflamações na gengiva.

Consulte também um nutricionista. Ao longo da gestação as necessidades nutricionais são diferenciadas e imprescindíveis para garantir um bom desenvolvimento e crescimento do bebê. Além, é claro, de auxiliá-la a manter um ganho de peso saudável.

Não hesite em procurar ajuda de um especialista!

A esta altura, você já deve ter se deparado com um mundo de siglas: DUM? IG? DPP? O que é isso? Não se assuste, temos certeza de que logo você estará familiarizada com todas as principais siglas. Quando você aterrissa no planeta Maternidade se depara com vocabulário e siglas desconhecidas. É importante o conhecimento do seu significado para melhor entender sobre esse assunto. Vamos citar algumas?

DUM – data da última menstruação.

DPP – data provável do parto.

IG – idade gestacional.

No material do Anexo, disponível no final do livro, você encontra mais uma série de siglas comuns neste mundo da maternidade.

Aqui vai um ponto de atenção. Um pequeno detalhe que deve ser visto no início da gestação: possui plano de saúde? Há algum desejo de realizar alguma alteração nele? Por exemplo, se seu plano é enfermaria e gostaria de alterar para apartamento. Ou, além disso, caso seu plano seja regional e você deseja alterar para nacional. Verifique as condições de seu plano e se atende a você e ao bebê quando nascer. O momento de alterar é agora. Muitos planos exigem um período de carência e fazendo isso no início você garante que as suas necessidades serão atendidas dentro do prazo.

Como podem perceber, o resultado positivo é acompanhado de um tsunami de informações e ações que devem ser realizadas para a obtenção do sucesso, tranquilidade e satisfação, da gestação ao nascimento. Esperamos que este livro ajude nesta longa e incrível jornada.

Cronograma e checklists

Cronograma

Sim, você tem alguns meses pela frente. Isso é suficiente para respirar, pensar, se organizar e planejar. Ajudaremos com todos os tópicos necessários para isso.

Uma ordem para realizar as tarefas é importante. Algumas coisas precisam ser feitas o quanto antes e outras podem esperar quase o fim da gestação. O importante é dividir tudo ao longo destes meses, para que não fique sobrecarregada, não se canse com múltiplos afazeres e preocupações e tenha serenidade neste momento.

O cronograma anexado ao final do livro é um planejamento sugerido de acordo com as semanas da gestação. Ele retrata os tópicos abordados no módulo de gestante deste livro para que você consiga ter tudo pronto antes do bebê nascer. Este planejamento é apenas uma sugestão que deve ser adaptado à sua realidade e ao que pretende fazer. Os exames apontados no cronograma são apenas indicativos e os mais comuns de serem realizados. Você deve seguir a orientação do seu obstetra, que pode solicitar inclusive exames complementares que não estão aqui descritos. Esteja sempre alinhada com seu médico.

Utilize o material para ser seu guia, leia o livro, marque o que vai ou não fazer e mãos à obra!

Checklists

Checklists são ferramentas tão poderosas que existem aplicativos inteiramente dedicados a isso. Desde uma simples lista de supermercado até a organização das atividades no trabalho, tudo pode ser expresso em formato de checklists. Eles são úteis para organização, para lembrar o que deve ser feito e guiar as ações.

Em todos os tópicos onde um checklist é necessário e poderá te auxiliar, você encontrará um nos materiais anexos ao final do livro. Assim como o cronograma, eles são uma sugestão e um guia e devem ser adaptados à sua realidade. Eles serão seus novos melhores amigos e te acompanharão nesta jornada.

Mar de informações – gestante

Assim que chega o positivo, ou às vezes mesmo antes, a curiosidade e a ansiedade te fazem correr ao Google e às redes sociais em busca de informações. São milhões de páginas, vídeos, perfis e relatos sobre os mais variados temas. Talvez tenha sido em uma dessas buscas que você chegou ao *Materneasy*.

Mas estamos aqui para te dar uma dica essencial para manter a calma e a sanidade neste momento: filtre esse mar de informações que se estende no horizonte à sua frente.

Filtre buscando seguir somente perfis recomendados, de grupos de mães que partilham experiências, grupos de apoio que podem te ajudar a atravessar momentos difíceis, perfis de profissionais da saúde e associações médicas. Perfis que tenham sua linha de pensamento, promovam a reflexão e o diálogo e que verdadeiramente agreguem.

Busque grupos locais, em sua cidade, que promovam encontros presenciais para troca de experiências e apoio. Isso pode ser de bastante ajuda. Além disso, diversos desses grupos podem possuir programas de descontos para mães e gestantes e promovem constantemente cursos e oficinas. Informe-se.

Filtre não espelhando ou tomando como verdade absoluta a maternidade relatada por influencers que não partilham da sua realidade de vida. Saiba que muito pode acontecer fora de um post nas redes sociais. A maternidade será uma experiência única, sua, que não deve ser comparada, medida ou idealizada com a de ninguém.

Filtre não mergulhando em relatos negativos, acontecimentos raros e eventos de profunda tristeza. É lamentável o que ocorre em alguns casos, como em tudo na vida, mas pensar na exceção não vai ajudá-la na busca de uma gestação tranquila e uma maternidade mais feliz. Se informe o necessário para sua prevenção, converse com seu obstetra se surgirem medos e angústias, e tenha serenidade durante esse momento tão importante.

Nos tópicos a seguir, você saberá todo o necessário para ter um ponto de partida e compreender esse novo universo que está a sua frente: o planeta Maternidade.

O *Materneasy* vai te auxiliar a sair dessa floresta densa, cheias de trilhas e sem um mapa. Te guiaremos para uma rodovia pavimentada, amplamente sinalizada, em que você poderá, com conhecimento e segurança, escolher os caminhos a seguir.

Cuidados com a gestante

Aqui está um tópico importante: cuidar de si mesma. Após a descoberta do positivo é normal ter medo e se sentir insegura, não saber para onde correr ou a quem recorrer.

Permaneça tranquila nesta caminhada e cuide da sua saúde. E quando falamos em saúde, é importante tanto a saúde física quanto a saúde mental.

Nossa rotina frenética por vezes impossibilita a dedicação e o cuidado conosco, mas não podemos aceitar isso. Procure levar uma vida mais leve, tentar desacelerar, mesmo que somente um pouco. Cuide do seu corpo, que agora carrega seu maior presente.

Converse com o seu médico sobre como manter uma rotina de exercícios durante a gravidez. Pergunte sobre quando você pode iniciar, quais os exercícios permitidos e quais você deve evitar. O importante é você se manter ativa. Não é que é verdade que exercícios fazem bem para o corpo e para a mente?

Procure se alimentar bem. E, para isso, não há segredos. A alimentação de uma gestante deve seguir a mesma recomendação de qualquer adulto normal: alimentação balanceada e saudável, cheia de cor. Sendo assim, frutas, verduras e legumes são muito bem-vindos. Evite doces e industrializados. Algumas ressalvas importantes devem ser seguidas, como, por exemplo, evitar comer carnes cruas ou malpassadas, peixes crus, não ingerir bebidas alcoólicas, não fumar e os vegetais devem ser muito bem lavados. Caso não esteja se sentindo bem ao comer, tendo dificuldades de evacuar, coma mais fibras e coma porções menores mais vezes ao dia. Procure um nutricionista e o seu obstetra e tire todas as dúvidas com eles.

Não se esqueça da água. É muito importante para o seu bem-estar e para o bem-estar do seu bebê, a ingestão de muita água. Leve sempre uma garrafa de água com você. Dessa forma você garante que vai beber e se manter hidratada. Coloque um alarme no celular, se isso ajudar; existem até alguns aplicativos para isso.

Dormir pode ser às vezes incômodo, sobretudo quando a barriguinha começa a crescer. Use e abuse dos travesseiros para ajudar a encontrar a melhor posição.

Por falar em posição, a ideal para dormir é virada para o lado esquerdo. Assim você evita a compressão da veia cava, que é a veia responsável pelo retorno do sangue ao coração, e garante boa circulação e oxigenação para você e para o bebê.

Permita-se relaxar, vá ao shopping, ao parque, viaje. Se tiver companheiro, aproveite os momentos a dois e namore bastante. Não é porque está grávida que tem que deixar os momentos juntos de lado. Não fique com medo do sexo na gestação, ele não vai machucar o seu bebê. Agora, se observar algum sangramento, alguma dor ou algo diferente durante o ato sexual, converse com o seu obstetra.

E por falar em medo, você pode dirigir normalmente se tiver segurança. O Código Brasileiro de Trânsito não tem uma regra para até quando uma gestante pode dirigir, então vale o bom senso. Quando a barriga estiver muito grande, muito próxima do volante e o cinto incomodar, é hora de passar a direção para outra pessoa.

Com a gravidez, as alterações no corpo da mulher são inevitáveis. A barriga aumenta, os seios crescem, aí você pensa: E as minhas roupas? Meu sutiã está apertado!

Chega uma hora que é necessário ir às compras e, dessa vez, as compras para você, mamãe. Invista nesse momento em roupas leves e confortáveis. Não é porque está grávida que tem que perder o estilo. Moda gestante existe para todos os gostos, seja você uma mãe moderna, tradicional ou descolada. O que importa é você estar bem e confortável.

Neste momento de mudança no corpo, nossos seios são os primeiros a crescerem, e é necessário investir em novos sutiãs; talvez seja essa a primeira peça nova a ser comprada. E aqui vai uma dica da rede Materneasy: invista já nos sutiãs para amamentação. Experimente e escolha um modelo que mais lhe agrada. Um modelo confortável, com tecidos macios e sem detalhes que possam te incomodar. As alças mais largas ajudam no suporte e sustentação. Observem isso. Ah! E comprem sempre um número maior. Lembre-se de que os seios ainda vão crescer mais durante a gestação e mais ainda quando o bebê nascer. Outra boa dica são os tops, aqueles utilizados para exercícios mesmo. São confortáveis e sustentam bem.

> Esperamos que a experiência das mamães da rede Materneasy possa lhe ajudar a seguir leve e tranquila nesta grande jornada que é a gestação.

E o trabalho? Como fica?

Somos mulheres, profissionais, donas de casa, empreendedoras e também somos mães. Somos aquelas que se preocupam com tudo do momento que acordamos e até quando vamos dormir, possivelmente nos preocupamos até em sonho. Somos a força motriz da humanidade e chegamos até aqui com garra, intensidade e suor, mas também com muito amor, ternura e sensibilidade. E por chegarmos até aqui e saber que podemos ir mais longe, é natural querermos conciliar todos esses papéis.

Para você que é profissional, que possui uma carreira que deu duro para conquistar e agora está com medo de perder isso, pois engravidou, tenha calma. A gestação e a licença-maternidade são apenas um quadro de alguns segundos em um filme que é a sua carreira. Uma boa profissional, em uma empresa humana e que valoriza acima de tudo a vida, não deve temer o que acontecerá em seu retorno. Converse com seus gestores imediatos, faça um plano de capacitação para a pessoa, ou várias, que irão assumir suas atividades. Converse com o setor de RH/Departamento Pessoal para se informar sobre seus direitos e benefícios oferecidos pela empresa. Converse se vai tirar férias em sequência da licença-maternidade ou, caso já tenha férias vencidas, pode ser que necessite sair antes. Há hoje excelentes exemplos de empresas que oferecem muito além do que é garantido por lei, esperamos que a que você trabalhe seja uma delas.

Pense com antecedência em seu retorno, não deixe para fazer isso ao final da licença-maternidade. Pense em quem ficará com o bebê, se ele irá para uma escola, se você vai trabalhar de casa por um tempo, se contratará uma babá. Saber que seu bebê está sendo cuidado e em segurança é essencial para que possa ter foco durante o trabalho. Faça um plano para seu retorno e acorde com seu gestor um período de adaptação à nova rotina, que te proporcione flexibilidade e tranquilidade. Entenda que é um momento de adaptação para todos e faça ajustes que possam te auxiliar a conduzir isso. Pela experiência das mães da rede Materneasy, a produtividade aumenta bastante no retorno ao trabalho, quando feito de forma planejada.

Aquelas reuniões depois do horário, as atividades feitas em hora extra, agora cabem dentro do dia de trabalho, pois ao bater o relógio, é hora de ir correndo ver o pequeno sorriso mais recompensador do mundo.

Se você é empreendedora, já se divide entre ser sua própria chefe e tocar os seus negócios, o planejamento é em dobro. Se as operações do seu negócio tem alta dependência da sua presença, talvez seja a hora de delegar mais funções a subordinados e repensar processos para que possa acompanhar a distância. Se trabalha sozinha e não terá um período longo para se ausentar, busque conciliar as suas necessidades profissionais à rotina do bebê. Falaremos disso mais para frente e daremos algumas dicas para você poder ter previsibilidade e se programar.

Para você dona de casa, que tem o mais difícil dos trabalhos, um que não tem folga, não tem licença remunerada e que a carga horária são todas as horas do dia, é hora de se organizar também. De ter um tempo para cada coisa, incluindo um tempo para você e um tempo de descanso. O bebê será mais uma parte do seu dia já tão atribulado e intenso, mas que será uma alegria a cada sorriso e brincadeira poder estar junto dele. Se permita deixar algumas coisas a serem feitas no outro dia, a acumular um pouco de louça na pia ou não ter um chão impecavelmente brilhante. Faça com que cada dia seja único e especial, por mais exaustivo que às vezes possa parecer.

A todas vocês que estão aqui buscando informações e se preparando para o que virá, para o desafio deste novo papel, tenham certeza: é possível ser mulher, profissional e mãe!

Direitos da gestante

Falamos no tópico anterior sobre as orientações da mãe que é profissional. Mas quais são os direitos, por lei, de uma gestante e de uma mãe?

Vamos fazer aqui um breve resumo desses principais direitos. Destacamos, mais uma vez, a importância sempre da sua comunicação com a empresa e seu gestor direto. Informar sobre exames e consultas, estado de saúde e período de afastamento, é sempre educado e gentil. Assim como você, a empresa precisa se planejar para a sua ausência.

Consultas e exames

A trabalhadora gestante tem direito a dispensa do horário de trabalho pelo tempo necessário para a realização de, no mínimo, seis consultas médicas e demais exames complementares. Não há, portanto, um limite máximo estipulado. Lembrando que a ausência deve ser comprovada mediante atestado médico.

Estabilidade no emprego

A Constituição Federal garante à empregada gestante a estabilidade provisória no emprego desde a confirmação da gravidez até cinco meses após o parto. A demissão de gestantes só é válida se for por justa causa ou se vier de iniciativa da própria futura mãe.

Licença-maternidade

O tempo de licença-maternidade difere entre as empresas públicas e privadas e pode ocorrer a partir do 28º dia antes da data prevista do parto.

- Nas instituições públicas o tempo é de 180 dias (em torno de seis meses).
- Nas organizações privadas o tempo é de pelo menos 120 dias (em torno de quatro meses).

Em 2008, entrou em vigor o **Programa Empresa Cidadã**, que permite às empresas privadas oferecer a prorrogação da duração do auxílio por até mais sessenta dias, igualando assim, o tempo de licença das instituições públicas.

Aqui vale destacar que o direito à licença-maternidade é assegurado também aos pais adotantes. Nesse caso, é necessária a apresentação do termo judicial de guarda.

Amamentação

Após o seu retorno você terá direito, durante a sua jornada de trabalho, a dois intervalos, de meia hora cada um, até o seu bebê completar 6 meses de vida.

Uma dica das mães da rede Materneasy: converse com a sua empresa e proponha juntar os intervalos de meia hora cada, para a saída uma hora mais cedo do trabalho ou mesmo juntar os períodos e convertê-los em dias, para estender por mais alguns dias a licença-maternidade, se for necessário.

Sindicatos

Verifique no sindicato da sua categoria profissional se a convenção coletiva prevê benefícios e direitos adicionais para você e seu bebê.

Veja que a gestante e a mãe está amparada na lei e, acima disso, conforme já falamos, para empresas que valorizam a vida, a maternidade será mais um motivo de celebrar.

Planejamento: a casa

É comum ver muitas gestantes pensarem no quarto como primeiro item a ser planejado. E ele é, sim, um item importante, ao qual daremos uma atenção especial. Porém o quarto é apenas um cômodo e o seu bebê será um morador da casa. É importante olhar para todo esse espaço de convívio e pensar se vai atender às necessidades.

Se ligue nas dicas das mães da rede Materneasy e separe um momento para pensar, enquanto ainda há um bom tempo de gestação pela frente.

Faça um exercício e olhe para sua residência, seja ela uma casa ou apartamento. Pense se há espaço físico para todos. Se haverá um lugar para o bebê brincar. Se é segura, arejada e iluminada. Pense nos meses e anos passando e veja se continua se imaginando neste espaço. Fez o exercício? Pode ser que o resultado desse exercício seja que você precisa se mudar! Nesse caso, é correr para achar outro imóvel e lidar com mais essa mudança, literalmente. Se não, ainda assim há alguns ajustes que você pode precisar ou querer fazer.

É importante que o bebê tenha o espaço dele e mesmo que nos primeiros meses você opte por um berço acoplado a sua cama, se for essa a sua vontade, à medida que o bebê cresce é essencial que ele tenha o seu cantinho.

O número de quartos da sua residência atual é adequado? O quarto do bebê será onde hoje é escritório? Caso sim, é hora de pensar para onde o escritório vai, afinal, você pode precisar trabalhar de casa alguns dias e precisará desse espaço.

Veja se fará alguma reforma. Criar um novo cômodo; subir ou descer paredes; substituir algo como rede elétrica ou de água que, por ventura, já tenha algum problema e o conserto estava sendo adiado; realizar instalação de ar-condicionado ou ventilador de teto; fechamento de varanda com vidro; colocação de telas/redes de proteção nas janelas; instalação de janelas termoacústicas ou qualquer outra obra grande e demorada e absolutamente inviável de ser feita com um bebê em casa. Se for fazer algum desses itens, a hora é agora.

Analise também a segurança. Se a casa possui escadas, desníveis, varandas ou similares. Pense que em alguns meses o bebê vai engatinhar e o acesso a esses lugares deverá ser limitado por barreiras como, por exemplo, pequenos portões.

Também é importante conversar sobre ajuda em casa. Talvez já tenha uma faxineira que vá de quinze em quinze dias. Talvez seja a hora de aumentar a frequência ou combinar a divisão de tarefas, que vai aumentar. Converse com seu parceiro abertamente sobre isso.

Pense que você passará um tempo maior em casa, em especial nos primeiros meses. Talvez seja a hora de trocar a geladeira por uma maior ou mesmo ter um freezer separado. As mães da rede Materneasy falam que é uma boa hora para pensar em uma lava-louças, uma máquina do tipo lava e seca, um novo aspirador ou outros eletrônicos e eletrodomésticos que possam facilitar o seu dia a dia.

Já pensou que isso pode ter um custo a mais na sua conta de luz? Além de passar mais tempo em casa, adquirir mais eletroeletrônicos, há mais uma pessoa para tomar alguns banhos por dia. Pense sobre isso e pesquise sobre energia fotovoltaica. As placas solares são de fácil instalação e o custo é compensado no longo prazo. Procure em sua cidade empresas especializadas.

Olhe para o espaço que tem disponível nos armários. É recomendável separar um espaço neles e nas gavetas da cozinha para que os itens de uso do bebê fiquem separados dos demais. Isso facilita a organização, encontrar e pegar rapidamente o que precisa, além de ser mais higiênico. Vale também deixar separado uma bucha e uma escova exclusivamente para os itens do bebê.

Quantos banheiros há na casa? Embora seja possível e seguro dar banho em um bebê no chuveiro e falaremos sobre banho mais adiante, uma banheira é muito útil e recomendada e isso ocupará um espaço no box. Pense na ergonomia do banheiro, imagine-se dando banho no bebê. Há espaço suficiente para a banheira em um suporte ou no chão? Há um lugar para colocar as coisas do banho do bebê (sabonete, toalha e etc.)? A posição em que você ou outra pessoa dará o banho é segura e confortável? O chuveiro possui boa regulagem de temperatura? Talvez dessa reflexão nasça uma obra, um novo banheiro, a reversão de um existente ou mesmo deixar um apenas para uso do bebê. Se há apenas um na casa, pense em como será a dinâmica para que o espaço possa ser utilizado também pelos adultos. Há alguns tipos de banheiras dobráveis e compactas que falaremos mais à frente e podem ajudar se for esse o seu caso.

A sua sala impecável e arrumada está prestes a ganhar uma nova decoração colorida! Pense onde o bebê vai brincar. Temos um módulo só para te dar ideias de como vão se divertir juntos. Pense em um espaço onde pode ser colocado um tapete infantil, onde haverá segurança para o bebê explorar o ambiente e onde os brinquedos possam ser dispostos e armazenados. Vocês passarão um tempo especial e precioso nesse espaço.

Depois de todo esse exercício, a maneira como você olhava sua casa antes agora vai mudar.

Por falar em brincadeiras, tem animais de estimação na casa? Na maioria dos casos, crianças convivem bem com animais, porém há sempre a necessidade de um cuidado especial. Lembre-se de que o pet também tem suas necessidades e não deve se sentir abandonado. Vale a pena um bate-papo com o veterinário, adestrador, obstetra e o pediatra sobre isso. Eles podem dar as orientações adequadas para que todo mundo conviva em harmonia.

Segurança, praticidade e funcionalidade são as novas palavras-chave, e, ao pensar em tudo isso antes do bebê chegar, será menos uma coisa a preocupar, certamente.

Agora que fizemos todo esse exercício argumentativo, com tantas perguntas e tantas coisas para pensar, é hora de você colocar no papel o que respondeu "sim". Tudo aquilo que vai exigir obras, mudanças ou aquisições, deve ir para o papel. Liste o que será necessário fazer, para buscar os profissionais ou itens para executá-los. Faça uma lista de modelos e preços dos itens escolhidos para compras e realize comparações entre eles. Discuta tudo com o seu parceiro e definam um cronograma e orçamento para as tarefas. Para apoio, utilizem o cronograma e checklist propostos nos anexos deste livro e o adaptem para a sua realidade.

Planejamento: o quarto do bebê

Agora que você já pensou na casa, chegou a hora de planejar com carinho e cuidado este cantinho tão especial que é o quartinho do bebê. Sabemos que você já salvou algumas imagens, que está olhando por mais tempo a vitrine de lojas de móveis ou até já ganhou algum presentinho. E isso é ótimo e faz parte deste momento especial. Mas as mães da rede Materneasy têm algumas dicas para você olhar para esse espaço com um outro olhar além da beleza: o quartinho não pode ser só lindo. Ele precisa ser funcional.

Mas aí você pergunta, como assim funcional? Não é só ter um berço, uma cômoda e alguns enfeites fofos? A resposta é não. Esse quarto precisa ter suporte a trocas de fraldas constantes, precisa ser fácil de limpar quando essas mesmas fraldas vazarem e além de ser bom para o bebê, precisa também ser bom para os demais cuidadores.

Façamos o mesmo exercício que fizemos para a casa. Olhe para o espaço do quarto e avalie se ele é adequado em tamanho, luminosidade e se é arejado. Pensem se haverá alguma reforma maior, como instalação de ar-condicionado, instalação de móveis sob medida como armários, troca de piso ou colocação de papel de parede, que deve ser feita sem os móveis e o quanto antes.

Assim como a luminosidade é importante, o contrário também é. Para o sono, que falaremos bastante mais adiante, é imprescindível

GESTANTE

um quarto que fique totalmente escuro. Faça este teste no quarto que escolheu, e talvez seja necessário colocar insulfilm ou cartolina nas janelas ou uma cortina do tipo blackout, caso a janela existente não bloqueie totalmente a passagem de luz. Caso este quarto seja uma suíte, você já ganhou o superbônus da ergonomia e praticidade. Meça o quarto, todas as paredes, altura do teto e onde é a porta. Faça um desenho com essas medidas e guarde no celular ou em um papel sempre com você. Vai fazer falta quando você estiver escolhendo os móveis. Você também pode buscar ajuda de profissionais como arquitetos e designer de interiores, e, até mesmo, algumas lojas de móveis de bebê oferecem esse serviço de forma bem acessível.

Antes de pensar nos detalhes da decoração, pense nos móveis, pois eles podem demorar um bom tempo para chegar. Algumas fábricas e lojas podem precisar de até noventa dias para entregar os pedidos e é bom chegar a tempo de um plano B, caso algum imprevisto ocorra ou não fique da maneira que imaginou. Escolha móveis certificados e feitos dentro das especificações dos órgãos reguladores como o Inmetro e a ABNT, pois a segurança é prioridade e itens como berços possuem sérias regulamentações, inclusive em relação à tinta utilizada e às dimensões. Quando estiver escolhendo os móveis, tenham em mente que um bebê cresce bem rápido e se quiser que os elementos do quarto sejam aproveitados por mais tempo, pense em elementos mais versáteis, que atendam tanto um bebê quanto uma criança. Mas sempre é possível fazer adaptações e mudanças ao longo do tempo, não se preocupe.

As mães da rede Materneasy têm algumas dicas para a disposição dos móveis. O berço e a cômoda não devem ficar abaixo de janelas. Além do risco de quedas, costuma ser o local mais frio do quarto. Pense para que lado a porta abre para quando for dar aquela espiadinha no bebê. Aproveite para testar se a porta abre e fecha sem barulho ou se precisa de um ajuste.

Vamos falar um pouco mais agora sobre cada móvel e sua função e mais algumas dicas preciosas para você.

O berço e onde dormir

É perfeitamente seguro para o bebê ficar em seu próprio quarto desde quando chega da maternidade. Com a babá eletrônica é fácil ficar de olho. Caso opte por ter o bebê em seu quarto nos primeiro meses, verifique modelos de berço do tipo co-sleeper. Se na sua cidade existir empresas de aluguel de brinquedos e itens de bebê, verifique com eles se possuem modelos para alugar. O preço em geral compensa mais do que comprar um, já que será utilizado por pouco tempo.

Caso opte por cama compartilhada, leia sobre os riscos e benefícios dessa prática e se informe, não faça algo que possa comprometer a segurança do seu filho.

Para o bebê, o recomendável é a utilização de um berço, por esse ser um limitador natural e seguro para os primeiros meses, em especial quando eles rolam e ainda não tem controle sobre o próprio corpo. Caso opte por uma cama no nível do chão, conhecida popularmente como cama Montessori, tenha em mente que deverá haver uma barreira de segurança para que o bebê não role e acorde no chão. Observe também que o berço possui diversas regulagens de altura que serão ajustadas à medida que o bebê cresce que favoreçam a ergonomia para colocá-lo e retirá-lo, algo que uma cama ao nível do chão não vai oferecer. Há também berços que já possuem gavetas ou são acoplados a uma pequena cômoda, o que podem ser uma boa opção para quartos menores.

O colchão do berço também é um item que deve ser escolhido com carinho. Ele deve ser firme, atóxico e também ser certificado. Existem colchões de espuma, em sua maioria com densidade D18, colchão antirrefluxo, cuja cabeceira é mais elevada do que o resto do corpo, colchão impermeável que possui um lado revestido para proteção contra líquidos e há também colchão respirável e totalmente impermeável e lavável, feito de um polímero especial que não é a espuma convencional. Vale uma visita à loja para ver os diversos tipos.

A cômoda e onde trocar fraldas

Outro ponto de ergonomia é a cômoda. A utilização desse móvel é opcional e talvez não haja espaço para um. Não há problema algum, tudo pode ser guardado em um armário, porém é comum a utilização da cômoda, pois ela serve de trocador nos primeiros meses. Ela deve possuir entre 90 cm e 1m de altura, deve ser bem rígida e firme para não ter o risco de se mover ou virar. Para utilizar como apoio para trocar o bebê, coloque na parte de cima um trocador anatômico ou colchonete para apoiar o bebê. Uma dica da rede Materneasy é utilizar um trocador revestido de plástico. Ficará mais fácil limpar após os acidentes e acredite, eles vão acontecer. O ideal é que ela também tenha um espaço para acomodar uma bandeja com a garrafa térmica, algodão, lenços umedecidos e algumas fraldas, para que tenha tudo à mão para uma troca rápida.

Assim que o bebê começar a rolar, por volta dos 4 meses, e crescer, fica inviável utilizar o trocador da cômoda e você vai precisar de um outro local para trocá-lo, que pode ser, por exemplo, uma cama auxiliar (popularmente conhecida como "Cama babá"). Jamais deixe o bebê sozinho no trocador, mesmo quando ele ainda não rola, pois ainda assim ele pode cair. Apoie-o com uma mão e realize as atividades com a outra. Falaremos mais disso no tópico de cuidados com o recém-nascido. Se optar por uma cama auxiliar e o quarto comportar uma, ela pode ser de solteiro ou "viuvinha", ter gavetas na parte de baixo ou ser do tipo box com baú. Um espaço extra é sempre bem-vindo para o estoque de fraldas. Uma cama auxiliar, além de ser útil para trocar o bebê em seu próprio quarto quando ele for maior, pode ser um lugar para amamentar, assim como a poltrona, e até para tirar um cochilo ou simplesmente deitar e assistir seu pequeno presente dormindo no berço.

Nas gavetas da cômoda uma boa organização pode ajudar muito no dia a dia nos cuidados com o bebê. Nichos, cestinhos, organizadores de TNT, acrílico ou plástico são muito úteis para organizar os itens dentro das gavetas. No primeiro nível de gaveta, mantenha os consumíveis, a farmacinha, fraldas e os paninhos de boca e fraldas de pano, além dos itens que utiliza com mais frequência. No segundo nível, as roupas de dia a dia, como bodies, macacões e calças. No terceiro nível, mantenha toalhas, lençóis, mantas e itens menos utilizados para que não tenha que se abaixar com frequência. Cômodas em geral possuem apenas três ou quatro níveis, mas se lembre de organizar os itens sempre deixando nas gavetas superiores o que usa com mais frequência e deixando para os níveis inferiores o que usa apenas ocasionalmente ou com menor periodicidade. Um bom teste da cômoda na hora de comprar é se a gaveta abre facilmente e – dica preciosa da rede Materneasy – se você consegue fazer isso com apenas uma mão. Quando você precisar pegar algo rápido e o bebê estiver no outro braço, é essencial conseguir fazer isso somente com a mão livre.

E por falar em fraldas, é bom ter uma lixeira para colocá-las, do tipo com tampa e acionamento de pedal. Existem inclusive lixeiras específicas para fraldas em um formato especial e com um saco plástico específico e filtro para auxiliar a reter o odor. Serão muitas e muitas fraldas no lixo todos os dias. Se optar por utilizar fraldas ecológicas em vez das descartáveis, verifique com o fabricante se o refil pode ser descartado no vaso ou somente no lixo mesmo. Além da lixeira para fraldas, um cesto para as roupas sujas do bebê é necessário. Em especial nos primeiros meses, serão muitas trocas por dia e as roupas do bebê devem ser mantidas separadas da roupa dos adultos da casa.

Outros móveis

Tudo vai depender do tamanho que você tem disponível no quarto e quais as suas necessidades para definir os móveis. Alguns podem ser de grande ajuda. Um deles é a poltrona de amamentação. É essencial ter um lugar confortável e adequado ergonomicamente para amamentar. Quando não é possível ter uma poltrona, o sofá e a cama com algumas almofadas podem cumprir esse papel. Porém, se for possível, uma boa poltrona pode te ajudar a se manter na posição correta e prover conforto ao mesmo tempo. Algumas possuem até apoio para os pés. Ao lado da poltrona, tenha uma pequena mesinha de apoio para colocar uma garrafinha de água, uma fralda de tecido ou paninho de boca, ou mesmo apoio para o celular. Essa mesinha também pode conter um abajur ou luz noturna, preferencialmente cor âmbar ou com possibilidade de controle da luminosidade.

Por vezes, se o quarto do bebê era o escritório, pode ser que exista uma estante que já estava ali antes do bebê e lá vai permanecer. Lembre que estantes abertas são mais propensas a acumular poeira. Avalie se não é possível a colocação de uma porta e ela ser transformada em armário ou a colocação de porta de correr de acrílico ou vidro em cada nível. Caso ela vá permanecer aberta, coloque nela itens que não são de uso direto no bebê e que não há problemas ficarem expostos a poeira e, em alguns casos, ao sol.

Pense funcionalmente na disposição dos móveis. Se imagine trocando o bebê, pegando algum item na cômoda, colocando-o no berço, pegando algo no armário. Ensaie esses movimentos para que a disposição do quarto fique a mais adequada possível.

A decoração

Sim, o quartinho vai ser lindo. Vai ter a carinha do seu bebê e aqui a imaginação é o limite. Mas uma coisa permanece como palavra de ordem: segurança.

Não coloque logo acima do berço nichos, estantes ou quadros pendurados. Eles podem se soltar e machucar o seu bebê. Não coloque acima do berço nada que possa cair, como móbiles. No varão, a estrutura metálica que apoia o mosquiteiro, por vezes é colocado algum enfeite leve, como bolinhas ou bandeirinhas, que devem ser muito bem presos. No período que o bebê conseguir ficar em pé, devem ser retirados também por uma questão de segurança.

Dentro do berço não deve existir nada que comprometa a segurança do bebê ou possa causar acidentes. Não é necessário nenhum tipo de aparato para impedir o acesso às laterais, mas caso deseje utilizar um, prefira os do tipo "rolinho". Os que são amarrados às grades podem oferecer risco de sufocamento e o bebê certamente vai tentar subir neles já com alguns poucos meses. Para bebês antes de 2 anos, não é necessário travesseiro.

Evite pelúcias ou outros itens que acumulem poeira e possam ser fontes de alergia. Se optar por tê-los, higienize-os com frequência. Um tapete pode ser útil para diminuir o barulho no piso, mas também deve ser higienizado com a frequência adequada.

Não deixe ao alcance do bebê quando ele começar a engatinhar itens de decoração que contenham peças pequenas que possam ser engolidas ou coisas que possam ser puxadas e podem cair.

A babá eletrônica deve ser posicionada fora do berço e em um lugar que o bebê não alcance o fio. A maioria dos modelos possui ajuste da câmera por meio da unidade dos pais, então será possível ter uma visão ampla.

Sabemos que é muita coisa para pensar, avaliar e equilibrar, mas é melhor pensar agora, antes de o bebê nascer, com calma e com tempo para planejar e executar. Quando estiver tudo pronto você vai olhar para este cantinho com satisfação e serenidade.

Planejamento: o enxoval do bebê

Agora que a casa e o quartinho já foram cuidadosamente pensados, tem um bocado de coisas que o pequeno, que está a caminho, vai precisar. Não se preocupe em comprar tudo no início, não se prenda a seguir listas à risca. Tudo bem se depois você notar que faltam mais alguns bodies de manga longa ou que os algodões acabam rápido demais. Para dividir um pouco os assuntos, conversaremos neste tópico sobre a parte mais "pesada" do enxoval, como carrinho e roupas, e falaremos dos consumíveis, como fraldas e itens para o banho, em outro.

As dicas da casa e do quarto também valem para o enxoval. Os itens devem ser funcionais, práticos e seguros. Alguns deles possuem certificações como do INMETRO, outros, não. Para as roupas, por exemplo, mesmo não necessitando de certificações, há boas práticas para escolher as mais adequadas. Existe uma infinidade de marcas de artigos infantis, nacionais e importadas, porém mesmo a maioria das importadas é possível de ser encontrada no Brasil. Há variedade de preço, de qualidade e gosto, afinal, cabe a você, mamãe, a decisão final. Caso vá viajar para fazer o enxoval em outro país, as dicas são as mesmas, mas se organize e planeje com mais detalhes e mais critério, para aproveitar a viagem. Lembre-se de que há restrições de voo, sejam domésticos ou internacionais, de acordo com as semanas de gestação. Se informe com a companhia aérea para seu planejamento.

Não focaremos em marcas e sim em características dos itens que devem ser observadas no momento da compra.

GESTANTE

Para as compras do enxoval vale o mesmo cuidado que qualquer outro tipo de compra. Para as lojas físicas, verifique o produto, converse com o vendedor, compare modelos, experimente as funcionalidades, teste antes de sair da loja, se possível, pergunte sobre a política de troca e se pode ocorrer em uma loja distinta da compra, mas da mesma rede.

Para compras on-line, cuidado redobrado. Anúncios em mídias sociais podem ser fraudulentos, em especial os que anunciam produtos de origem importada. Verifique sempre a reputação da loja em sites agregadores de reclamações e no site do PROCON da sua região. Acesse o site diretamente e faça a busca do produto, pois links de promoção podem direcionar a sites fraudulentos. Nas compras em lojas confiáveis, sempre confira as informações do modelo e código de referência do produto, pois nem sempre a foto corresponde ao modelo da descrição. Se informe sobre as políticas de troca e devolução no caso de compras pela internet. Na hipótese do preço parecer muito baixo, desconfie. Verifique em outros sites e para a compra utilize um cartão virtual, que pode ser gerado pelo aplicativo ou internet banking do seu banco, e que será válido somente para aquela compra, diminuindo o risco de fraude com os dados do seu cartão. Se informe sobre esse recurso com a operadora do seu cartão de crédito.

A dica de ouro das mães da rede Materneasy aqui é não focar somente em lojas e compras on-line. Procurem os brechós da sua cidade, grupos de vendas em redes sociais e anúncios em plataformas específicas por itens seminovos ou mesmo novos. O bolso vai agradecer.

Roupas e a parte de tecidos do enxoval

Não tem coisa mais fofa que uma pequena roupinha cheia de detalhes e que parece ter sido feita para uma boneca ou que você se apaixona ao ver no manequim. Roupinhas que parecem ser uma obra de arte! Mas no dia a dia, o que funciona são mesmo bodies, calças e macacões! Seguem algumas dicas das mães da rede Materneasy para que você escolha as roupinhas ou fique atenta quando ganhar alguma.

Primeiro faça um exercício de qual época seu bebê vai nascer. Se for em pleno verão, usará primeiro roupas mais leves. Caso seja no inverno, precisará de peças mais quentinhas no início. Leve em consideração o clima da região onde você mora. Dê preferência às roupas de algodão, sem detalhes ou bordados. Caso tenha, vire a peça do avesso e veja se não incomodará o bebê. Ela deve ser macia, de costuras baixas e deve ser fácil de abrir ou tirar para permitir a troca de fraldas.

No caso de bodies, dê preferência aos com três botões para o fechamento. Terá menos risco de soltar e será mais anatômico em relação à fralda. Macacões de zíper são muito mais práticos do que os de botão. Imagine trocando fralda na madrugada e tendo que abrir e depois fechar de oito a doze botões! Os macacões de zíper oferecem praticidade e segurança e a maioria deles é revestida internamente para que não fique em contato direto com a pele do bebê.

Para as calças, nos primeiros meses, são bem práticas as que possuem pezinho reversível, que podem ser dobrados para cobrir o pé, além de durarem um pouco mais à medida que o bebê cresce.

Evite roupas que possuam botões costurados, detalhes em fita ou apliques de pedraria ou termocolantes que possam se soltar

GESTANTE

e serem engolidos ou aspirados. Segurança será sempre a regra para bebês, como já vimos no módulo para a casa e quarto.

Para meias, dê preferência às que se ajustam ao pé como um todo e não somente com uma aderência mais forte no elástico acima do tornozelo, pois pode apertar o bebê. Quando o bebê começar a ficar em pé ou engatinhar, existem meias e sapatilhas-meias com bolinhas de silicone para melhor aderência. Nos primeiros meses, em geral sapatinhos, não param no pé e podem ser incômodos, nesse caso meias e sapatilhas-meias são mais indicadas. Se optar por sapatos, verifique se estão adequados ao tamanho do pé do bebê e ajustados de maneira que não causem desconforto. Quando o bebê começar a ficar em pé e andar, dê preferência a sapatos ortopédicos e que não influenciam na formação óssea e crescimento dos pés, visto que ainda estão em processo de formação. Caso tenha dúvidas, peça orientação ao pediatra ou ortopedista pediátrico.

Além das roupinhas, mais alguns itens de tecido são necessárias. Mantas ("cueiros") são muito úteis no início, seja para manter aquecido no colo enquanto se desloca ou para forrar um local fora de casa para trocar o bebê. Podem ser utilizadas para proteger do vento e até como um pano emergencial em caso de acidente com fralda. Também servem como swaddle, o famoso "charutinho", que falaremos no módulo do sono. Mantas possuem literalmente mil e uma utilidades. Tenha algumas sempre à mão. Escolha algumas mais finas e outras um pouco mais grossas. E uma bem especial para a saída da maternidade.

Tão úteis como as mantas são os paninhos de boca, ombro e fraldas de tecido. Em especial no início da amamentação, tanto o bebê quanto você vai utilizar bastante. Tenha dezenas, centenas se possível desses pequenos quadrados de tecido salvadores. Quando alguém perguntar o que precisa de presente, sempre responda: paninhos de boca!

Caso seu colchão não venha com algum tipo de capa apropriada que dispensa o uso de lençol, você também vai precisar de alguns. Dê preferência aos modelos com elásticos e ele deve ficar firme e sem sobras no colchão.

Para sair com o bebê ou mesmo para usar em casa, pode ser interessante um carregador do tipo "canguru" ou "sling". São bem úteis, confortáveis para o bebê e você poderá ficar com as mãos livres. O papai também vai gostar bastante de usar o canguru nos passeios.

Depois de tudo isso comprado, seguindo a sugestão do nosso cronograma, comece a lavar e passar as roupinhas do bebê por volta da 30ª a 32ª semana e as guarde ao abrigo de poeira e sol. Escolha sempre um sabão neutro e específico para lavagem de roupas de bebê. Leia as etiquetas para as orientações de lavagem e, caso sejam etiquetas que podem incomodar o bebê, aproveite para cortá-las. Aproveite também para conferir se não há nenhum outro item como etiquetas de preço, alarmes ou adesivos e os retire também. Assim, faltará bem pouco para ter um bebê vestindo cada uma dessas roupinhas lindas.

Carrinho

Assim como no mundo dos veículos, há pessoas que preferem um *hatch* compacto e outras o conforto de um SUV. O SUV talvez seja mais confortável para uma viagem, mas não cabe em qualquer vaga de estacionamento. O *hatch* não cabe muitas malas para viajar, mas dá para estacionar em qualquer cantinho. A mesma analogia é válida para os carrinhos de bebê e esse é um tópico que o papai vai gostar de participar. Assim como os demais tópicos, é necessário um exercício argumentativo.

Pode ser que você não precisará tanto de um carrinho no início. Pode ser que decida ficar um pouco mais em casa e saia apenas ocasionalmente levando o bebê conforto ou utilizará os disponíveis no shopping. Pode ser que queira ou precise sair mais e o carrinho será muito utilizado. Pense um pouco no seu perfil e nas suas necessidades.

Existem alguns carrinhos com opção de cesto do tipo "Moisés" (carrinho berço). Eles podem ser úteis nos primeiros meses e até servir de berço co-sleeper. Geralmente esse cesto é removível e pode ser utilizado até cerca de 6 meses, dependendo do peso e tamanho do bebê. Alguns carrinhos possuem encaixe para o bebê conforto (Travel System) e essa pode ser uma opção prática para passeios curtos, pois não é indicado que o bebê permaneça muito tempo no bebê conforto, além de ser mais prático para colocar no carro, sem precisar retirar o bebê. É essencial que o carrinho possua opção de reclinar (posição "deitado") do assento para aquela sonequinha enquanto passeia no shopping. Há modelos de carrinho de bebê com até quatro posições de reclinagem e outros com sistema de múltiplas posições, no qual não há quantidade de inclinações predefinida pelo fabricante. E por falar em passeio, alguns carrinhos possuem posição reversível do assento e nesses casos é possível conduzir o bebê de frente para você ou no sentido do movimento.

Carrinhos de três rodas e que possuem rodas com pneu com ar, como um carro mesmo, são mais estáveis e podem ser utilizadas em qualquer tipo de terreno, pois amortecem bastante os impactos e fazem menos barulho. Apesar de serem normalmente mais caros do que carrinhos de quatro rodas comuns, eles suportam maior peso e podem ser utilizados por mais tempo, até cerca de 4 anos da criança (a depender do peso e do tamanho).

O material da estrutura do carrinho é bem determinante para o peso. Carrinhos feitos de alumínio e similares são bem mais leves e isso ajuda bastante na hora de colocar e retirar do carro. Também é imprescindível que o carrinho caiba no porta-malas. Leiam as dimensões e se certifiquem disso antes da compra. O material do restante do carrinho deve ser resistente, que não seja muito sensível à temperatura para não esquentar muito e causar desconforto térmico ao bebê, que seja fácil de limpar e desmontar se necessário. Embora a maioria dos carrinhos seja da cor preta, existem alguns modelos de carrinhos de outras cores. Alguns modelos possuem diferença de preço somente por causa da cor, estejam atentos a isso.

O carrinho precisa ser prático e simples de fechar. Há diversos modelos no mercado que podem ser fechados com apenas uma mão (fechamento envelope, em que o carrinho se fecha ao meio). Em alguns modelos é necessário retirar a parte do assento ou executar um conjunto de movimentos para que ele se feche. Nessa hora vale o test drive. Passeie com o carrinho pela loja, abra e feche-o várias vezes. Levante-o, verifique se é possível tirar facilmente as rodas se necessário (até para limpeza).

Carrinhos do tipo "guarda-chuva" são supercompactos, mas em geral só podem ser utilizados a partir dos 6 meses, quando o bebê já senta e poucos possuem a opção de reclinar o encosto. Em geral, são mais difíceis de serem fechados, então também testem esse movimento antes de comprar.

Em termos de segurança, dê preferência aos modelos com cinto de cinco pontos e teste o acionamento dos freios das rodas traseiras. Em alguns modelos esse acionamento é por meio de um pedal e em outros, na mão. Acione o freio sempre que parar com o carrinho do bebê e não estiver com as mãos na barra guia. Em termos de proteção, um carrinho com uma capota retrátil maior, protegerá mais do sol. Alguns têm visores para que seja possível de ver o bebê.

Para ajudar na hora de carregar as coisas do bebê verifique se o carrinho possui cesto embaixo do assento, e talvez seja interessante adquirir um acessório do tipo organizador que, quando instalado na barra guia do carrinho, fornece um espaço extra para itens como celular e carteira ou uma squeeze de água ou a mamadeira. Quando a criança ficar maior, alguns carrinhos possuem como opcional uma bandeja frontal com espaço para copo de transição ou garrafinha.

Há diversos outros acessórios para carrinhos, alguns universais e outros específicos de cada fabricante. São itens como mosquiteiro, capa de chuva, guarda-sol, móbile, miniventilador, almofada extra, redutor de assento e diversos outros que somente devem ser adquiridos se for da sua necessidade.

Viu que não é tarefa simples escolher o carrinho? Siga os passos de uma compra de carro. Pesquise os modelos, compare as funcionalidades e parta para um test drive.

Bebê conforto e cadeirinha do carro

Primeiro é preciso definir o conceito de bebê conforto e cadeirinha. Ambos são denominados "dispositivo de retenção infantil". Bebê conforto é o dispositivo que tem utilização exclusiva virada para trás, ou seja, de costas para o movimento do veículo. Cadeirinha é dispositivo que pode ser tanto utilizado virado para trás quanto para a frente. A maioria dos modelos de cadeirinha é exclusivo para utilização virado para a frente, mas existem diversas opções de cadeirinhas reversíveis no mercado que podem ser utilizadas viradas para trás desde o nascimento, depois viradas para a frente e algumas podem ser utilizadas até a fase de assento de elevação (booster), sendo uma única cadeirinha por todo o tempo em que esse dispositivo é necessário. Existem diversos grupos de dispositivos de retenção, conforme abaixo. Atente-se que, apesar dos dispositivos serem certificados pelo INMETRO podem existir diferenças nas dimensões e capacidades de acordo com o fabricante.

- **Grupo 0:** bebê conforto, utilizado virado para trás, destinado a bebês de até 10 kg, altura aproximada de 0,72 cm e até 9 meses de vida (dados aproximados).
- **Grupo 0+:** bebê conforto, utilizado virado para trás, destinado a bebês de até 13 kg, altura aproximada de 0,80 cm e até 12 meses de vida (dados aproximados).
- **Grupo 1:** cadeirinha, virada para a frente, indicada para crianças de 9 a 18 kg, cerca de um metro e até 32 meses (dados aproximados).

- **Grupo 2:** cadeirinha, virada para a frente, indicada para crianças de 15 a 25 kg, cerca de 1,15 metro e até 60 meses (dados aproximados).
- **Grupo 3:** cadeirinha, virada para a frente ou booster de elevação, indicada para crianças de 22 a 36 kg, cerca de 1,30 metro e até 90 meses (dados aproximados).
- **A partir de 7 anos e meio:** no banco traseiro com cinto de segurança.

A escolha do bebê conforto e da cadeirinha começa pelo carro. Sim, o carro ou carros do casal. A primeira coisa a verificar é se ele possui opção de fixação do tipo ISOFIX ou LATCH. Eles estão disponíveis apenas nos bancos traseiros. Em alguns casos, estão escondidos atrás de capas removíveis, mas haverá uma etiqueta ISOFIX no assento para ajudar a encontrá-los. Além do sistema de ancoragem em dois pontos, alguns modelos possuem um terceiro ponto de apoio superior nas costas do banco, oferecendo assim mais segurança, denominado ancoragem superior (Top Tether). Sua função é para evitar a rotação e o giro do dispositivo de retenção.

Caso seu carro possua a opção de fixação por ISOFIX, prefira modelos com essa função, pois a segurança oferecida é maior do que a fixação somente utilizando o cinto. Se já pensando em trocar de carro por um com mais espaço, priorize um modelo que possua essa opção. Carros que possuem a distância entre eixos curta, como *hatches* compactos, caso o bebê conforto possua base ou a cadeirinha seja muito grande enquanto está virada para trás, podem diminuir consideravelmente o espaço para passageiro no banco da frente.

Entretanto, bebês conforto com base são muito mais simples de serem retirados e colocados do carro.

Em termos de segurança, priorize modelos com cinto de cinco pontos e com sistema SIP (*Side Impact Protection*), onde as laterais são feitas com material mais resistentes e confiáveis para o caso de uma colisão lateral. Evite comprar bebê conforto ou cadeirinha usados, pois não é possível saber se o item já passou por uma colisão e teve sua estrutura comprometida.

Leia o manual e veja vídeos do fabricante para instalação adequada no veículo e para colocação do bebê. É importante que o ajuste dos cintos e regulagem do dispositivo estejam corretos para poder prover toda a segurança possível.

Em relação ao conforto, verifique as espumas, proteção para cabeça e se o dispositivo possui diversos ajustes e regulagens (altura do cinto, altura da proteção da cabeça, se o modelo é reclinável e quais os níveis de reclinagem). Dê preferência a dispositivos com o tecido removível para lavagem e que não impeçam a transpiração da criança.

Enquanto o bebê conforto ou a cadeirinha está virada contra o movimento não é possível ver a criança. É interessante adquirir um retrovisor portátil para ser instalado no encosto de cabeça do banco e também dispositivos para diminuir a incidência de luz solar na janela, há diversos modelos no mercado. Não use uma fralda de tecido no vidro para este fim, ela aumentará o calor na região.

Após ter escolhido o bebê conforto ou cadeirinha, instale-o no carro por volta da 34ª semana. Repita o processo de instalar e desinstalar e simule como será colocar e tirar o bebê, se a porta do carro abre bem na garagem. Ensaie esses movimentos para garantir que saberá o que fazer na hora que for o bebê de verdade. É interessante adquirir almofadas redutoras de assento para um melhor posicionamento do bebê no dispositivo.

O dispositivo de retenção é o que vai ajudar a garantir a segurança do seu filho no veículo. Economize em outros pontos do enxoval, mas não nesse. A vida não tem preço.

Berço portátil

Já mencionamos em tópicos anteriores os berços portáteis do tipo co-sleeper, feitos para serem colocados ao lado da cama para uso nos primeiros meses. Eles também devem ser firmes, certificados, possuírem ajustes de regulagem de altura e fáceis de serem higienizados.

Porém, quando o bebê fica maior, para viagens ou mesmo para deixar um berço extra na casa dos avós, um berço portátil pode ser extremamente útil. Este item também é possível de ser alugado, porém caso vá utilizar com frequência, compensa a aquisição. Há diversos modelos no mercado, dos mais completos e com mais de um nível de altura do colchonete para bebês menores e que contam até com trocador e bolsos até modelos simples e ultraleves, que também podem ser utilizados como "chiqueirinho". O importante é que ele seja seguro, prático e, claro, portátil. Ao escolher o modelo, se possível teste na loja como é a montagem e a desmontagem. Verifique qual o peso máximo do bebê suportado pelos modelos e quais as dimensões que ele ocupa quando montado. Caso julgue necessário aumentar o conforto do bebê, existem colchões próprios para berços portáteis.

Alguns modelos já vêm com mosquiteiro, mas caso o modelo escolhido não possua, é possível adquirir separadamente. O berço portátil é superútil para garantir que o bebê terá um lugar confortável e seguro para dormir quando estiver fora de casa. Pensem com carinho sobre esse item.

Babá eletrônica

A babá eletrônica é sem dúvida umas das melhores invenções relacionadas ao cuidado com bebês. É um sinônimo de tranquilidade para muitas mamães e papais. Existem diversos modelos que variam em termos das funções disponíveis. Há modelos mais simples, somente com áudio, onde há um captador para ser colocado no quarto do bebê e um ou mais receptores móveis para transportar pela casa. O princípio do modelo com vídeo é o mesmo, porém a unidade do quarto do bebê é uma câmera e há uma pequena tela na unidade dos pais. Caso seja essa a escolha, é imprescindível que seja uma câmera com visão noturna e com ajustes remotos para que seja possível mover o foco da câmera. Alguns modelos possuem Wi-Fi, possibilitando acesso das imagens com o uso da internet. Se optar por um com esta função, realize as configurações de segurança recomendadas pelo fabricante e que incluem inclusive a colocação de senha. Lembre-se de que é um dispositivo conectado à internet.

Algumas babás possuem recursos extras como áudio bidirecional, em que é possível falar na unidade dos pais e o bebê ouvir. Dica das mães da rede Materneasy: a voz pode sair um pouco assustadora para os bebês. Outras possuem música e ruídos brancos, zoom, controle de volume e luminosidade da tela, gravação de vídeo, possibilidade de conectar mais de uma câmera ou unidade dos pais e possibilidade de acesso via aplicativo no celular. Caso sua residência seja muito grande, verifique o alcance dos modelos, pois eles podem variar bastante e ficarem sujeitos a interferências. Prefira modelos em que a unidade dos pais é alimentada por baterias recarregáveis, que duram muito mais do que pilhas.

Existem alguns modelos de babá eletrônica que acompanham um sensor para serem colocados embaixo do colchão e emitem um alerta caso não detectem micromovimentos por vinte segundos. Porém, esse modelo necessita ser desligado quando o bebê é retirado do berço. As mães da rede Materneasy que utilizaram esse tipo avisam: na mamada da madrugada você vai se esquecer de desligar, o alarme vai tocar e a sua alma vai sair do corpo com o susto. O bebê também vai assustar e chorar. Melhor evitar. Seu bebê está seguro e bem no berço e isso é suficiente.

Use com moderação a babá, não precisa passar a noite toda olhando seu bebê dormir. Descanse, desligue o visor e deixe somente o áudio. Se ele precisar de você, você vai escutar.

Bolsa do bebê

Sair com um bebê é sempre levar um pedaço da casa com você. É tanta coisa que temos um módulo mais adiante só para falar disso. Aqui queremos te ajudar a escolher a bolsa ideal.

Apesar de falarmos que a bolsa é do bebê, na realidade ela agora é sua nova bolsa. É lá que você vai guardar sua carteira, celular e as chaves de casa. Mas fique tranquila, há modelos lindos no mercado que sequer parecem ser uma bolsa de bebê, feitas de materiais diferenciados, sem detalhes infantis e com design moderno. Apesar de você ter achado linda aquela bolsa de ombro em matelassê com o nome do bebê bordado e que possui um kit para levar para a maternidade, as mães da rede Materneasy alertam: bolsa de ombro não funciona. Elas ficarão pesadas, vão escorregar quando você se abaixar, são muito grandes para caber embaixo ou pendurada no carrinho e será bem difícil achar algo dentro dela. Por isso recomendamos que você pense em ter uma mochila. Sim, mochila de costas, muito parecida com a sua mochila do notebook da empresa. Pode ser preta inclusive. Dessa forma você ficará com as mãos livres, o peso estará mais bem distribuído nas costas e há modelos extremamente práticos no mercado. É interessante buscar um com divisórias e bolsos para que os itens fiquem separados e de fácil acesso, alguns inclusive vem com etiquetas sugerindo a distribuição dos itens, como um bolso específico para mamadeiras e outro para fraldas. Alguns possuem até um bolso lateral para retirada rápida de lenços umedecidos. É um bônus se houver um bolso impermeável para colocar algo que molhar ou sujar, mas também existem sacos específicos com essa função. Como tudo relacionado ao bebê, a bolsa também deve ser prática e funcional. Ela será sua companheira por muitos e muitos passeios.

Banheira

Espero que já tenha passado pelo módulo da casa e feito um exercício de pensamento sobre o banheiro e mediu o seu box. Se não, volte alguns módulos, pois isso vai influenciar na escolha da banheira. Mesmo que opte nas primeiras semanas por dar banho no quarto, é necessário pensar na funcionalidade da banheira e por quanto tempo vai atender. Vamos falar sobre alguns tipos, já incluso algumas dicas das mães da rede Materneasy.

A banheira mais clássica é a que vem com um trocador acoplado. Ele não terá uso caso você tenha um trocador na cômoda ou na cama auxiliar e também não será adequado utilizar quando o bebê for maior. Considere esse item somente se não tiver outro lugar para trocar o bebê.

As banheiras convencionais podem precisar de uma adaptação para o banho do recém-nascido, como uma rede telada ou outro aparato/encosto para que o bebê fique em segurança. Alguns modelos vêm com esse acessório embutido. Uma almofada de banho, apesar de parecer útil à primeira vista, na maior parte das vezes o bebê não fica em contato com a água, perdendo calor muito rapidamente e ela pode não secar completamente até o próximo banho ou mesmo mofar. Apesar de esses itens ajudarem no processo do banho e oferecerem mais segurança, se optar por não utilizá-los, não há problema. Tenha apenas atenção e cuidado quando for segurar o seu bebê.

Grande parte das banheiras é vendida com um suporte, para que o banho possa ser dado com o cuidador em pé. Você pode utilizar nas primeiras semanas a banheira em cima da cama ou cômoda se não tiver esse suporte, ou mesmo diretamente no chão. Mas se lembra de que falamos sobre ergonomia? Ela se torna ainda mais importante para uma tarefa rotineira como o banho.

Se o seu problema for espaço, existem diversos modelos de banheiras dobráveis e bem compactas, algumas ficam com meros 5 cm quando fechadas, e podem ser guardadas em pé dentro do box mesmo enquanto o adulto toma banho. Também existem as banheiras infláveis, mas elas são indicadas para uso mais esporádico, como em viagens.

Existem também banheiras do tipo ofurô, que são muito similares a um balde e banheiras de pia, para o caso onde há água quente na torneira. Caso seja seu desejo optar por esses tipos de banho, procure se informar sobre as práticas, melhor posição e indicações específicas para essas situações.

Como sempre, aqui também falamos sobre segurança. Verifique o peso máximo suportado pela banheira, assim como a estabilidade do suporte, caso haja. Veja se a banheira possui espaço para deixar à mão itens como o sabonete líquido. Somente utilize a banheira no suporte enquanto o bebê não conseguir se levantar. Quando isso ocorrer, ela deve passar a ser utilizada no chão. Além do alerta de ouro, jamais deixei o bebê sozinho na banheira. Teste a vazão da banheira, tanto em relação ao chuveiro para encher com a água, tanto em relação à saída do líquido.

Quando o bebê crescer um pouco mais, existem diversos outros tipos de banheira maiores, algumas que podem ser utilizadas por crianças de até 10 anos e que garantem a diversão na hora do banho por mais um tempo. Caso opte por não fazer uso mais da banheira quando a criança conseguir ficar em pé, invista em tapetes antiderrapantes para o chuveiro.

A hora do banho deve ser sempre segura, divertida e um ótimo momento para se passar com o bebê.

Itens de uso exclusivo do bebê

Você provavelmente está pensando que a lista está grande demais. Não se preocupe, tudo bem se esquecer de algo. Quando precisar, você lembra e providencia, e, se não lembrar, é porque provavelmente não precisava mesmo. Baseado na experiência das mães da rede Materneasy, concentramos nos módulos somente aqueles itens mais úteis e mais utilizados. Há alguns outros itens que podem fazer parte do enxoval e que estão diretamente relacionados às suas escolhas e necessidades.

Itens como um bom conjunto de mamadeiras, preferencialmente com sistema antirrefluxo/anticólica para saída do ar, podem ser úteis mesmo que você deseje amamentar exclusivamente ao seio. Você pode retirar o leite e outra pessoa dar para o bebê, seja porque você precisou sair ou simplesmente descansar um pouco mais. Caso não amamente por qualquer razão ou mesmo faça um esquema híbrido, as mamadeiras serão bem úteis. Falaremos bastante sobre amamentação e alimentação inicial do bebê mais à frente. Pense e pesquise sobre algumas mamadeiras, leia comparativos, veja a capacidade de cada uma, qual a facilidade de encontrar bicos e outros acessórios ou partes, algumas são inclusive autoesterelizáveis, facilitando bastante a higiene. Para higienização, um esterilizador de mamadeiras de micro-ondas é muito útil. Não faça isso na panela com água fervente, você vai se esquecer e derreter algumas coisas no caminho.

Dar ou não chupeta é uma decisão sua. Leia e se informe sobre os prós e contras. As mães da rede Materneasy não podem negar que em muitos casos ela acalma e pode ser usada somente em situações pontuais até que seja retirada, mas a decisão final tem que ser dos pais. Caso opte, busque por modelos ortodônticos e adequados à idade, há modelos específicos para recém-nascidos. Evite modelos com partes rígidas ou móveis que podem se soltar. Chupetas também são homologadas pelo INMETRO. Pode ser que o seu bebê prefira um ou outro tipo ou não queira nenhum. Esse é um dos itens que não há fórmula mágica, resposta correta ou orientação. Quem conhece seu filho é você e a decisão está em suas mãos.

Foram muito itens e muitas coisas para pensar. Utilize o checklist anexo no fim do livro para se orientar e complemente com os itens que julgar necessário ou que tem o desejo de ter. Cada item pensado e planejado assim com tanto carinho ajuda a passar mais rápido a longa espera da gestação.

Planejamento: os consumíveis do bebê

Planejamos e listamos todos os itens necessários para o enxoval. Agora é hora dos itens pequenos, mas essenciais para a chegada do seu bebê.

Aqui listamos os consumíveis necessários para a higiene e banho do bebê, fraldas e outros itens. Falaremos um pouco dos que são principais para que possa orientar a sua escolha.

Fraldas

O mercado de fraldas é gigante, com várias marcas e modelos. Escolher a melhor fralda pode ser um desafio, e apesar de saber se a sua escolha foi realmente certa somente quando seu bebê nascer, uma série de características devem ser levadas em consideração para a busca da fralda ideal.

O primeiro fator que deve ser verificado é o conforto. Ele é sempre prioridade na hora da escolha da fralda. Ao abrir o pacote, toque e sinta a fralda. Quanto mais macia e algodoada, melhor o conforto para o seu bebê. Existem muitas fraldas no mercado que ao tocar você sente uma textura plástica. Comece a reparar nisso.

Algumas marcas oferecem sistemas que facilitam a vida dos pais, como a fita indicadora de umidade, posicionada geralmente na parte da frente da fralda. Quando a fralda está úmida, a tira muda de cor, indicando que é necessário trocar. Outro ponto que facilita são as fraldas com fitas reajustáveis. Muitas vezes ajustamos a fralda errada, ou muito larga ou muito apertada sendo necessário reajustar. Se a fralda não possui esse sistema de fitas reajustáveis, a fita pode rasgar inutilizando uma fralda novinha.

Teste também os modelos das fraldas e escolha o que melhor adapta para você e seu bebê, seja ela com fitas adesivas ou fraldas de vestir, também chamadas de fralda-calça.

O segundo fator é a absorção das fraldas. Quanto maior e melhor a absorção da fralda, mais conforto para o seu bebê e menor a chance de vazamentos. Confira o material, gel absorvente e canais de absorção funcionam melhor do que fraldas que usam apenas algodão. Fraldas que possuem barreiras de proteção, aquelas abas nas laterais da fralda na região das coxas, ajudam a prevenir vazamentos. Não se esqueça de centralizar a fralda ao colocar e puxar as abas para fora, hein?! Já aquelas que possuem ajustes no corpo, com certa elasticidade, são mais confortáveis e apertam menos o bebê.

Fique de olho no peso e altura do seu bebê para a escolha do tamanho ideal da fralda.

Por fim, como terceiro fator, a validade das fraldas. Sim, fraldas possuem validade, e como todo produto, não é recomendado utilizar fraldas que estão vencidas. Não se esqueça de que a pele do bebê é sensível e a capacidade absorção de uma fralda vencida certamente é comprometida.

Protetor solar e repelente

É recomendada a utilização de protetor solar em bebês acima de 6 meses, pois a maioria dos protetores contém produtos que podem irritar a pele, podendo causar alergias.

Assim como o protetor solar, a recomendação para repelentes é a utilização a partir dos 6 meses. Existem hoje no mercado, repelentes para uso em bebês a partir de 3 meses. Converse com o seu pediatra antes de utilizar qualquer produto. Peça indicações dos produtos que deve comprar. Há muitas marcas no mercado.

Não se esqueça também de fazer o teste de contato do produto. Coloque uma pequena quantidade do produto em uma área da pele e observe se surgem reações.

Dicas gerais

A lista de consumíveis é extensa. A maioria dos produtos você já possui costume de comprar para o seu uso pessoal. Passaremos aqui algumas dicas gerais sobre como escolher alguns produtos que serão bastante utilizados no mundo da maternidade:

- Lenços umedecidos: em primeiro lugar, evite o uso de lenços umedecidos, deixe para utilizá-los quando realmente for necessário. Procure utilizar, sempre que possível, algodão com água para limpar o bumbum do seu bebê. Mas vamos aqui passar algumas dicas para ajudar na compra. Use os lenços com produtos naturais, hipoalergênicos, de preferência sem aroma e o mais macio possível.
- Saquinho descartável: leve sempre na mochila do seu bebê. Aqui vale comprar os saquinhos utilizados no passeio dos pets.

> É educado e gentil colocar as fraldas sujas em saquinhos quando for descartar fora de casa.
>
> - Pomada de assadura: escolha a textura de sua preferência: Existem pomadas que são mais oleosas, mais secas. Verifique os ativos presentes na pomada: pomadas com óxido de zinco e vitaminas são os mais indicados. Consulte o seu pediatra, ele pode indicar boas pomadas. Verifique se a pomada sai com facilidade e dê preferência a pomadas hipoalergênicas e sem cheiros.
> - Shampoo, sabonetes e condicionadores: compre sempre produtos neutros, hipoalergênicos, que não irritem os olhos, sem aditivos e específicos para bebês.

Produtos alternativos

Inúmeros produtos no mercado são direcionados para bebês e não possuem sua eficácia cientificamente comprovada ou não são aprovados pelos órgãos reguladores do país. Caso seja do seu desejo utilizar algum desses tipos de produtos, converse sempre com o seu pediatra. Não coloque a vida do seu bebê em risco.

São muitos detalhes para se atentar, não é mesmo?

Disponibilizamos no anexo, ao final do livro, com o enxoval, um checklist completo para que você se oriente. Não hesite em complementá-lo com outros itens que deseja.

Planejamento: eventos

Quem não gosta de uma festa, não é mesmo? Os eventos que acontecerão durante a gestação devem ser organizados com antecedência para que nenhum detalhe passe despercebido e tudo aconteça no momento ideal. Acredite, o projeto Maternidade é bem complexo e gerenciar este cronograma, como você viu no início deste livro requer disciplina e ação. Não deixe para última hora os eventos. Se você faz questão e deseja compartilhar com os amigos e familiares, se organize.

Para cada evento, existe uma data recomendada. Planeje e convoque as pessoas mais próximas para te ajudar. Você não precisa fazer tudo sozinha.

Vamos falar agora um pouco dos principais eventos e das principais dicas para que ele ocorra:

Chá de revelação

É menino ou menina? A expectativa da resposta deixa a mamãe e toda a família muito ansiosa.

O chá revelação é realizado logo no início da gravidez. A data dependerá da forma utilizada para revelação do sexo:

- Se for por sexagem fetal, o chá pode ocorrer mais cedo, já que o exame pode ser realizado a partir da 8ª semana.
- Se for por ultrassonografia, é necessário esperar um pouquinho mais, pois a segurança na confirmação do sexo é feita na 16ª semana. Lembre-se de avisar o médico para guardar o segredo sobre o sexo. Quando finalizar o exame ele revela para a pessoa guardiã do segredo.

Escolha uma pessoa de confiança para que guarde o segredo e prepare todos os detalhes para você. Você, mamãe, pode participar de toda a organização e definição desde que não tenha acesso à informação principal.

Tradicionalmente, o chá revelação é feito sem que os principais envolvidos, a mamãe e o papai, saibam o sexo. Quer inovar? Faça o oposto, revele você, mamãe e papai, o sexo para toda família. Seja criativo, bole maneiras de deixar este momento engraçado e descontraído.

Chá de fraldas

De todas as comemorações da gravidez, o chá de fraldas é a mais famosa.

O chá de fraldas é geralmente realizado mais para o fim da gravidez, por volta do 6º ou 7º mês. É mais divertido fazer o chá de fraldas quando a barriguinha está aparecendo, né?

Não deixe também muito para o final, você pode estar mais indisposta ou o bebê pode ser um pouco apressado.

O planejamento para a realização do chá de fraldas é fundamental. Fazer um checklist auxiliará na organização e não deixará que nada fique esquecido, além de ajudar a controlar o orçamento. Procure delegar algumas funções do chá, aceite ajuda. Dessa forma você aproveita mais a sua festa.

Normalmente é sugerido que os convidados levem um pacote de fraldas, indicando o tamanho desejado no convite, para que não acumule as fraldas de um único tamanho. Sabemos que cada bebê se adapta melhor a uma ou outra marca de fralda, mas há sempre aquela que a chance de errar é menor. Não tenha vergonha de especificar a marca no convite.

Veja o documento em anexo no final do livro e confira a tabela com a distribuição da quantidade de fraldas.

Uma boa dica para o chá de fraldas é fazer o chá de fraldas on-line. Existem sites em que você cria a lista e recebe o valor em dinheiro das fraldas. Ou até mesmo, a criação da lista do chá em alguma rede de farmácias. O chá de fraldas on-line é uma excelente opção para quem não tem espaço para guardar as fraldas, além de ter a vantagem de experimentar as marcas até encontrar a que melhor se adapta para o seu bebê.

Ensaio gestante

A gravidez é um momento único e especial. O ensaio gestante é feito para registrar esta fase tão importante da sua vida, eternizando este momento.

Além disso, é uma forma de elevar a sua autoestima, valorizando seu barrigão e mostrando o quão linda você é. Separe a sua roupa preferida, use top, sutiã e mostre ao mundo seu barrigão, isso mesmo, nada de vergonha. Leve também, algumas peças e objetos do enxoval do seu bebê para registrar nas fotos.

O ensaio gestante é normalmente feito entre a 26ª e 34ª semana de gestação. Isso porque nesta fase a barriga já está aparente, mais empinada e muitas mamães ainda não estão inchadas, fator comum no fim da gravidez. As fotos nesta fase ficam mais bonitas e você está mais disposta para passar algumas horas fotografando.

As fotos podem ser feitas em estúdio ou externas. A opção é sua. Escolha um fotógrafo que você tenha empatia e se sinta à vontade. Temos certeza de que você não se arrependerá de fazer este ensaio.

GESTANTE

Festa e lembrancinhas na maternidade

As inovações no mundo da maternidade não param. A mais nova moda agora é comemorar a chegada do bebê ainda na maternidade. O preparo de uma mesa com doces, salgadinhos, balões e lembrancinhas no quarto da maternidade se tornam cada vez mais comuns.

É uma forma da mais nova mamãe e papai chamarem as visitas para a maternidade e ter uma tranquilidade e tempo maior para a adaptação em casa. Acredite, você precisará de um tempo para esse período e receber visitas no pós-parto imediato pode causar algum incômodo.

Pense e planeje com antecedência as lembranças e acessórios que vai utilizar. Faça uma lista de amigos e familiares íntimos que vão te visitar para ver o quanto encomendar. Para as lembrancinhas, solicite uma quantidade um pouco maior e leve para casa ao receber as visitas lá.

Ensaio newborn

Não tem coisa mais fofa do que aquela carinha amassadinha de joelho, não é mesmo? Brincadeiras à parte, o bebê fica com a carinha de recém-nascido bem pouco tempo, por isso caso queira realizar um ensaio newborn, a sessão de fotos do bebê, ela deve ser realizada até o 16º dia de vida. Esse momento deve ser o mais tranquilo possível para o bebê. Lembre-se de que ele acabou de chegar ao mundo e tudo deve ser conduzido de forma gentil e no ritmo dele. Busque um fotógrafo com referências, decida se as fotos serão em casa ou em estúdio. Se optar por estúdio, visite antes, verifique quais são os procedimentos para as fotos e os cuidados de higiene do ambiente.

No dia do ensaio, priorize as necessidades do seu bebê, tenha calma, paciência e bastante tempo. As fotos ficarão lindas!

Mêsversários

Assim como é importante você acompanhar o crescimento e desenvolvimento do bebê, celebrar cada etapa também é. O mêsversário é uma forma especial de comemorar e registrar cada mês de vida do seu bebê, durante seu primeiro ano de vida. É um evento pequeno, geralmente com a presença dos avós e tios do bebê.

O planejamento antecipado, se possível, ainda na gestação garantirá o sucesso na implantação do seu evento. Faça uma lista de temas que gostaria de celebrar mês a mês, já deixe o seu fornecedor de personalizados engajado e planeje os comes e bebes. Tudo feito com antecedência não vai lhe sobrecarregar e permitirá que você aproveite cada mês de vida do seu pacotinho de amor.

Ah! Não se esqueça das fotos. Registre este momento. A câmera do seu aparelho de celular vai trabalhar muito. Se for do seu desejo, contrate um profissional e faça o acompanhamento mensal do seu filho. Você se derreterá por cada clique e por cada foto.

Planejamento: consulta pré-natal com o pediatra

Desde a descoberta da gestação, é comum focar muito no assunto parto. Mas há algo muito importante que devemos pensar bem: a escolha do pediatra. Você sabia que a primeira consulta com o pediatra deve ocorrer antes mesmo do nascimento do bebê? É fundamental esta consulta para conhecer e criar um vínculo de confiança com o pediatra e antecipar as orientações básicas sobre os cuidados do recém-nascido e, claro, com a própria mamãe.

Busque referências com amigos e familiares que tenham filosofia e estilo de vida similares ao seu e agende a consulta.

Procure um pediatra que seja acessível e esteja disponível quando você precisar. Poder contar com a ajuda do pediatra em caso de urgência ou apenas para esclarecer alguma dúvida é tranquilizador. Questione se ele pode ser contatado por telefone celular ou aplicativos de mensagens em caso de dúvidas ou urgências.

A consulta deve ser agendada, preferencialmente, no terceiro trimestre da gravidez. Uma dica das mães da rede Materneasy: não deixe para agendar de última hora, pode ser que não consiga uma vaga com o pediatra escolhido. Agende com bastante antecedência.

Mas o que devo perguntar? Quais os assuntos são abordados nesta consulta?

Não se sinta perdida, o pediatra saberá conduzir a consulta, acalmando e orientando os pais em todas as suas dúvidas.

Nesta consulta são abordados temas como:

- Aleitamento materno: importância, características do leite após o nascimento, esclarecimento sobre a frequência e tempo de mamada e as dificuldades que podem surgir.
- Cuidados com o recém-nascido: orientações sobre o banho, lavagem nasal, troca de fralda, cuidado com o coto umbilical, banho de sol.
- Vacinas iniciais e testes necessários após o nascimento.
- Orientações para reduzir risco de morte súbita.

- Padrão do sono do recém-nascido.
- Farmacinha e suplementação vitamínica de rotina para o bebê.
- Dentre outros temas desejados pelos pais.

Ter escolhido o pediatra do seu bebê na gestação, facilita, ainda, o agendamento da primeira consulta do seu filho, que deve ocorrer preferencialmente entre o 10° e o 15° dia de vida.

Planejamento: amamentação/ alimentação inicial do bebê

Enquanto o bebê se desenvolve em sua barriga muitas questões vão surgindo: Como se preparar para a amamentação? Como preparar meus seios? Eu posso amamentar? Vou ter leite? E se eu decidir não amamentar? Estamos aqui para orientar, trazendo informações para acalmar e diminuir sua ansiedade.

Primeiramente, é indiscutível os benefícios da amamentação para a mãe e para o bebê. O leite materno é um alimento completo. Por meio do leite materno as mães passam anticorpos que são muito importantes para a saúde do bebê. E vamos reforçar um conceito? Não existe leite fraco. O leite de toda mulher é adequado para o seu próprio filho.

Além disso, quando se fala em aleitamento materno, o foco é sempre na saúde do bebê. Importante dizer que o aleitamento materno também traz benefícios para as mães. Amamentar diminui o risco de câncer de mama e auxilia no pós-parto, já que o útero se contrai e volta ao tamanho normal mais rapidamente. Amamentar é um processo natural, mas que pode ser desafiador inicialmente.

Preparação dos seios

Uma das questões mais frequentes é sobre a preparação dos seios para amamentar. Você já deve ter escutado da sua mãe ou da sua vó: passe a bucha vegetal nos mamilos, puxe seus mamilos para fora para criar o bico, senão seu bebê não vai conseguir mamar. Hoje, nada disso é indicado mais. A gravidez e os hormônios envolvidos nela se encarregam de cuidar do preparo de todo o nosso corpo, inclusive dos mamilos.

Então o que se deve fazer aqui não é nada muito diferente do que se fazia antes:

- Lavar os seios apenas com água (o sabão retira a oleosidade natural, aumentando o risco de fissuras).
- Usar sutiãs confortáveis.
- Expor, se possível, seus mamilos ao sol, por cerca de dez minutos diariamente.

Outra dúvida comum se refere ao formato dos mamilos. E aqui queremos dizer o seguinte: é possível amamentar com qualquer formato de mamilo. O bebê precisa abocanhar a aréola e não o mamilo.

O melhor preparo para a amamentação é a informação. Converse com amigas, especialistas, participe de grupos ou cursos de amamentação para gestante. E aqui uma dica de ouro: contrate uma consultora de amamentação.

A experiência com a amamentação é diferente entre as mulheres. Mas, para a maioria, amamentar não é fácil. Não espere ter problemas, não espere seu peito ferir. Procure ajuda e informações antes. A consultora de amamentação, durante a gestação, lhe passará todas as dicas e informações necessárias para ajudar no sucesso de amamentar, além de auxiliar, na prática, na amamentação nos primeiros dias de vida. Vamos falar mais adiante, mas a pega correta é o principal fator de sucesso da amamentação e ela poderá lhe ajudar nisto.

Golden Hour

A primeira hora de vida é chamada de "*Golden hour*", ou hora de ouro. Nessa primeira hora, a mãe e o bebê costumam ficar alertas, acordados, sendo um momento excelente para interagirem e criarem entre si o primeiro vínculo por meio da amamentação.

O aleitamento materno imediato assegura que o recém-nascido receba o colostro, conhecido como a primeira vacina, por conter importantes fatores imunológicos e anti-inflamatórios, lactobacilos e nutrientes.

A Golden Hour é um momento maravilhoso de interação entre mãe e filho e pode acontecer independentemente da via de parto. Mas nem sempre ela é possível. Ela é realizada se a mãe e o bebê estiverem em boas condições e se ela for o desejo da mãe. Não ter vivenciado a Golden Hour não quer dizer que seu bebê estará menos protegido. Não se frustre se não for possível. Seu bebê não passará fome. Os bebês nascem com uma reserva de energia que permite que ele fique um tempo sem se alimentar.

GESTANTE

Fases do leite materno

O leite materno muda durante a lactação. Em cada uma das fases, o leite apresenta uma característica diferente:

- Colostro: é a primeira fase, que ocorre do nascimento até em torno do 7º dia após o parto. Ele é rico em anticorpos e sua coloração é amarelada.
- Leite de transição: o leite de transição inicia-se a partir da apojadura (descida do leite) e vai até cerca de quinze dias após o parto. Ele possui um teor maior de gorduras e calorias do que o colostro. Ele tem a coloração mais esbranquiçada e seu volume aumenta. Aqui é possível que as mamas fiquem quentes, duras e empedrem, o famoso ingurgitamento mamário. É comum as mamas ficarem pesadas, quentes e muito doloridas.
- Leite maduro: mais ou menos depois de quinze dias o leite torna-se maduro, rico em lactose, açúcar e gordura e com diminuição gradativa de proteínas de alto valor biológico.

É incrível pensar que existem etapas de transformação do leite materno para que se adequem às necessidades do bebê.

Vamos lembrar de um conceito importante e que você certamente já ouviu falar? Peito não é estoque de leite, é fábrica. Ou seja, enquanto o seu bebê está sugando, tem leite sendo fabricado. Quanto mais o seu bebê sugar, maior será o estímulo na produção e mais rápida e com maior volume será a descida do leite. Mantenha a hidratação enquanto amamenta. Você vai sentir bastante sede e a água é essencial para fabricação do leite.

Técnicas e posições para amamentar

O primeiro passo para iniciar a amamentação é sentar-se de forma confortável. Se for necessário utilize almofadas, incluindo uma almofada de amamentação para apoiar o bebê. O importante é você estar em uma posição que não lhe incomode ou cause pressão nos ombros e costas.

Existem diversas posições para amamentar além da posição tradicional, tais como cavalinho, invertida, deitada. A melhor posição é a que você e o seu bebê se sintam bem. Teste e escolha a melhor para vocês. É importante variar a posição de vez em quando para que todos os quadrantes da mama sejam estimulados e esvaziados (evitando mastites e que elas empedrem) e para reduzir os ferimentos nos seios (quando eles já estão machucados), auxiliando na cicatrização.

O segredo para o sucesso na amamentação é a pega do bebê. Para a boa pega, a boca do bebê deve ser levada ao mamilo e não o contrário. A mãe deve fazer um "C" com suas mãos para facilitar esta pega. Ao mamar, a boca do bebê deve estar bem aberta, com os lábios para fora, como se fosse um peixinho, abocanhando quase toda a aréola e não somente o bico do peito, o nariz deve estar livre, o queixinho encostado ao seio e as bochechas cheias. Não se deve escutar nenhum ruído, somente o da deglutição.

Durante a amamentação, é comum que seu bebê durma. Estimule-o, mexa nos pezinhos, orelhinhas, converse com ele. O tempo de mamada é de acordo com a necessidade do seu bebê e um bom indicativo que ele está mamando bem é a quantidade de xixi que está fazendo.

Inicialmente o mais indicado é praticar a livre demanda, colocando seu bebê para mamar com mais frequência e quando ele pedir. Antes da primeira consulta com o pediatra não deixe o bebê ficar mais de três horas sem mamar. Se estiver dormindo, acorde-o e amamente-o.

Não é normal sentir dor, amamentar não pode doer. Caso doa, tire o bebê do peito e coloque-o novamente. Para tirar o bebê do peito, coloque o dedo mindinho para descolar a boca do bebê do mamilo.

Se as mamas estiverem muito cheias, faça massagens com a mão espalmada em movimentos circulares, iniciando ao redor do mamilo e depois em direção à raiz da mama, próxima ao tórax. Realize depois uma pequena ordenha da aréola para que ela fique bem macia e, assim, facilite a pega para o bebê. Para a ordenha, posicione o dedão no início da parte superior da aréola e os dois dedos (indicador e dedo médio) na parte de baixo. Faça o movimento apertando a aréola e trazendo-a junto ao corpo.

Mais uma vez, não se intimide em solicitar ajuda. O auxílio de uma consultora de amamentação ou até mesmo das profissionais do banco de leite pode ser de grande valia.

Fissura nos mamilos e dores na amamentação

Os problemas com a amamentação são muito frequentes e podem ser um desafio para as mamães. Dores nas mamas, fissuras nos mamilos (as famosas rachaduras) e a mastite são uma das principais causas do desmame precoce.

Como já dito, o principal fator que causa a fissura é a pega do bebê. Não adianta tratar a fissura se não tratar a causa dela. Depois de adequar a pega do bebê, o tratamento e cicatrização dos mamilos terão efeitos.

A cicatrização dos mamilos pode ser difícil e demorada por causa da frequência de mamadas. Mas não desista, é possível. As mães da rede Materneasy utilizaram alguns tipos de tratamento para fissura e dores nos seios e relatam para você agora. Importante ressaltar a importância da busca de um profissional qualificado para verificar e auxiliar no tratamento.

Vamos lá:

- **Laserterapia:** a terapia com laser de baixa potência acelera a cicatrização da ferida e as mães da rede Materneasy relatam que houve um alívio da dor após a aplicação. Converse com a sua consultora de amamentação sobre este tipo de tratamento.
- **Leite materno:** sim, o próprio leite materno é cicatrizante e evita o ressecamento da pele. Ao final de cada mamada, passe o leite ao redor do seu mamilo e espere secar para colocar o sutiã ou a blusa.
- **Repolho:** sim, o repolho. E tem que estar frio, congelado de preferência. Coloque uma folha de repolho nos seios e fique por algum tempo. O repolho frio auxilia no alívio da dor naquele instante.
- **Rosquinhas de fraldas:** a rosquinha de fralda impede que o seu seio encoste no tecido do seu sutiã, causando menos incômodo quando o seio ainda está ferido.
- **Pomada de lanolina:** a pomada de lanolina ajuda na cicatrização e principalmente no alívio do desconforto,

porém deve ser utilizada apenas uma quantidade ínfima, do tamanho de uma pérola e não deve ser utilizada nos ductos de leite, somente em volta do mamilo.

- **Massagem nos seios:** é muito comum a obstrução de um canal de leite, causando dor e desconforto nos seios, podendo levar até a mastite (inflamação do tecido do peito que necessita de tratamento médico). Para desobstruir esses canais deve-se realizar a massagem, com o intuito de retirar todo o leite que está retido ali.

Verifique sempre com os profissionais capacitados qual o melhor método para você.

Fórmulas lácteas

Amamentar é, sim, um momento único para a mãe e para o bebê e traz inúmeros benefícios para ambos. Mas amamentar não é uma imposição e sim uma escolha. Nem sempre é uma opção para todas as mulheres. Seja por razões internas ou externas, conscientes ou não.

Não se sinta culpada por não poder amamentar ou por ter feito esta escolha. O que seu bebê precisa é ser alimentado com amor. A forma? Não importa.

Quando não há a possibilidade do aleitamento materno, as fórmulas lácteas entram em ação. As fórmulas são desenvolvidas para fornecer os nutrientes necessários que o bebê precisa, de acordo com cada fase do seu desenvolvimento.

Existem fórmulas específicas para prematuros, para bebês até 6 meses (Fase 1), para bebês a partir de 6 meses (Fase 2), fórmulas especiais (sem lactose, antirrefluxo, à base de soja, dentre outras) e fórmulas de seguimento para após 1 ano. O uso das fórmulas deve ser sempre recomendado pelo seu pediatra.

O amor que bate no peito, também bate na mamadeira. O olhar apaixonado do bebê para você enquanto o alimenta é o mesmo. E a vantagem da mamadeira é que esse trabalho pode passar a ser do papai, ao contrário da amamentação que é exclusivo da mãe. Nem sempre a natureza é justa, certo? Já que homens não podem amamentar, a mamadeira certamente eles podem dar.

Os julgamentos na maternidade são inúmeros e certamente você vai escutar muitos. Aqui queremos falar com você: fique tranquila com a sua decisão.

Planejamento: o parto – Parte 1

O parto: talvez este seja um dos assuntos de maior ansiedade. O medo do desconhecido tem o poder de assustar qualquer um. Esse medo e ansiedade podem ser amenizados quando detemos de maior conhecimento e informações. É isso que nos leva a uma maior segurança e confiança.

O objetivo do Materneasy é auxiliar vocês, mamães de primeira viagem, a obterem informações e buscarem os conhecimentos necessários para que tudo transcorra da forma mais natural e tranquila possível.

Voltemos ao nosso alerta lá do módulo "mar de informações": cuidado com o que lê. Filtre o mar de informações que se estende no horizonte a sua frente. Não pense que o certo é o que está nas mídias sociais e não se culpe por fazer escolhas diferentes dos outros.

Aqui queremos que você se prepare para tudo o que possa acontecer. Que você não se frustre com acontecimentos inesperados durante o seu trabalho de parto e o parto em si.

Pode ser que você tenha se preparado para um parto natural, tenha feito pilates, ioga, escolhido uma equipe realmente alinhada com a humanização do parto, mas, por diversos fatores foi necessário uma cesárea. Ou você havia desde o início, por motivos totalmente pessoais, escolhido a cesárea e o bebê foi mais rápido, vindo naturalmente.

Seu parto pode ser da forma que você deseja, mas podem ocorrer intercorrências que façam os planos iniciais serem alterados. Então, esteja preparada.

Queremos dizer aqui que o melhor parto é aquele em que tanto a mãe quanto o bebê saem nas melhores condições possíveis. Mesmo o parto não sendo o "ideal", o preconizado, o planejado, ele foi perfeito para você se tudo correu bem.

Vamos falar agora de informações importantes sobre o parto para que você tenha o conhecimento necessário para a tomada de decisão e até mesmo para conversar com o seu obstetra sobre a sua escolha. Mas lembre-se de combinar com o bebê: muitas vezes quem escolhe é ele.

Escolha da maternidade

O parto começa com a escolha da maternidade.

Faça uma lista de todas as maternidades disponíveis na sua cidade e busque informações e referências com amigos, familiares e seu obstetra sobre elas. Se optarem pela utilização do plano de saúde, já faça o filtro da maternidade atendida pelo plano em questão e faça o agendamento para visita. Verifique com a maternidade qual a política para o agendamento da visita e se há uma época específica da gestação para a realização dela, bem como se disponibiliza curso para gestante.

Visite todas as opções disponíveis e conheça como elas funcionam, como são as suas instalações, se possuem UTI neonatal e UTI adulto.

Verifique qual a dinâmica do parto, caso opte pelo parto com a equipe do plantão, e verifique, também, se é possível levar o seu obstetra, caso ele não seja plantonista ou credenciado lá.

Pergunte sobre os procedimentos com o bebê, quais são os exames de triagem neonatal realizados no recém-nascido naquela maternidade.

Pesquise a respeito do que está incluso na cobertura do seu plano de saúde e quais são os gastos extras (televisão, alimentação, se cobram também para as suítes PPP – pré-parto, parto e pós-parto).

Se informe sobre os documentos necessários para a internação e se protocolam o seu plano de parto, que falaremos mais adiante.

Questione se é permitida a contratação de equipe de foto e de filmagem externa e se a equipe pode participar de todos os momentos e tipos de parto. Muitas maternidades já oferecem o serviço de foto e de filmagem e exigem um credenciamento antecipado de outros profissionais contratados.

É importante perguntar se é possível a participação de profissionais particulares para acompanhamento de seu parto, como enfermeiras obstétricas e doulas, e se estes podem participar de todos os momentos e tipos de parto.

Também é possível durante o parto realizar a coleta de sangue e/ou tecido do cordão umbilical, seja por um banco privado ou um banco público de sangue com o objetivo de criopreservação das células-tronco presentes nesses tecidos e que podem ser utilizadas no tratamento de algumas doenças. Algumas maternidades inclusive oferecem convênios com laboratórios que realizam esse serviço, questione quando visitar. Se informe sobre essa prática, seus custos e os benefícios e decida antecipadamente se vai realizar para que busque um laboratório ou banco público e realize a coleta.

Coloque no papel todos os prós e contras de cada maternidade e avalie qual lhe atende melhor. Estar bem com o ambiente de nascimento do seu filho é muito importante para ter tranquilidade no momento do parto.

Ah! Depois da escolha da maternidade, verifique se é exigida a participação em algum curso de gestante oferecido por eles.

Parto humanizado

Vamos aqui esclarecer um ponto importante: parto humanizado não se refere ao "tipo de parto". Parto humanizado não é parto normal ou natural. Não é nascer na banheira, não é sentir dor.

Parto humanizado é o parto em que a mulher é a protagonista e tem as suas escolhas respeitadas, não importa a via de parto.

A humanização do parto é um processo e não um produto que nos é entregue pronto.

Tipos de parto

Parto vaginal

É quando o bebê sai pela vagina. O parto vaginal pode ser natural ou não. O parto natural é aquele em que não há nenhuma intervenção médica. O parto normal, termo comumente utilizado, é aquele em que há intervenção médica. Essas intervenções no parto normal têm o objetivo de aumentar a segurança para a mulher e para o bebê, ou, ainda, aumentar o conforto da mulher por meio da analgesia.

Parto cirúrgico

Conhecido como cesariana ou cesárea. É um procedimento cirúrgico que consiste na abertura do útero, por meio de um corte no abdome, para a retirada do bebê.

Trabalho de parto

Trabalho de parto. Você fica ansiosa quando escuta esse termo? Não se preocupe, não acontece só com você. O trabalho de parto é comumente retratado de forma distorcida, como sendo um momento de sofrimento e dor para a mãe, mas vamos pensar além disso. O trabalho de parto é o ponto da gestação em que definitivamente a chave cai. É o momento que é recebida a mensagem de que o bebê está pronto para nascer. É a forma que o bebê comunica com o corpo da mãe e diz: estou pronto.

Aguardar o trabalho de parto é ter a certeza de que o organismo do bebê está maduro, além de haver a liberação de hormônios que são importantes para a amamentação.

Mas o que é o trabalho de parto em si? É nada mais do que as contrações ritmadas e progressivas do útero. Aqui uma informação importante: o trabalho de parto não é apenas as contrações, ele é dividido em três estágios:

- o primeiro estágio que é quando se inicia o trabalho de parto em si, com contrações irregulares que vão progredindo até atingir a dilatação total (o famoso 10 cm);
- o segundo estágio que é quando o bebê nasce;
- e, por fim, o terceiro estágio: que é quando a placenta é expelida (Sim! Depois que o bebê nasceu, ainda não acabou, há um trabalho extra: expelir a placenta).

Aguardar o trabalho de parto não é benéfico apenas para os partos vaginais. É benéfico também para mulheres que desejam uma cesariana. O trabalho de parto não define a via de parto.

Agora que você já sabe um pouquinho sobre esse assunto, converse com o seu obstetra e pergunte sobre os benefícios de aguardar o trabalho de parto espontâneo.

Mas como tudo na vida nem sempre as coisas transcorrem da maneira esperada. Às vezes é necessária intervenção médica para a indução do parto, com o objetivo de preservar a vida da mãe e do bebê.

Mais uma vez, esteja preparada para todos os cenários. O que você quer é carregar o seu pacotinho de amor.

Logo mais falaremos como identificar o início do trabalho de parto e quando ir para a maternidade.

Métodos para alívio de dor: natural x farmacológicos

Sim, parir dói. Não há como mensurar nem explicar o grau da dor. A dor é extremamente subjetiva e cada mulher tem uma sensibilidade. Pode ser que ela sinta o mínimo de dor possível, como também pode ser que sinta uma dor insuportável.

Mas não se preocupe, você tem a decisão de definir como lidar com essa dor. Existem diversos métodos para o alívio da dor no trabalho de parto, sejam eles naturais ou farmacológicos. Vamos listar alguns deles.

Métodos naturais

1. **Movimentação:** a movimentação durante o trabalho de parto, sempre que for possível, deve ser estimulada. Movimentar-se auxilia tanto no processo de dilatação, quanto no alívio da dor.
2. **Uso de bolas:** sabe aquela bola utilizada nas aulas de pilates e em academias? Sim, é essa mesmo. A bola além de permitir a movimentação, pode gerar maior relaxamento. Quando a gestante está sentada sobre a bola, a pressão sobre o períneo pode reduzir a percepção da dor. Além disso, a mulher pode se ajoelhar e apoiar o corpo sobre a bola, o que pode aliviar a tensão sobre o corpo. Só fique atenta e comunique sempre para os profissionais que estão lhe acompanhando

qualquer desconforto e comunique também quando a sua bolsa estourar para que lhe orientem como proceder.

3. **Massagem:** a massagem, realizada principalmente na região lombar, é um método seguro para aliviar a dor do parto. Se a massagem lhe incomoda, avise.

4. **Banho:** o banho quente de chuveiro, que é possível na maioria das maternidades, proporciona relaxamento e diminuição da dor durante o trabalho de parto. O banho de banheira também proporciona relaxamento e ajuda na suavização da dor. Se esse é o seu desejo, verifique se a maternidade disponibiliza a banheira. Mesmo que você não deseje parir na água, pode utilizar esse método para o alívio da dor durante as contrações.

Existem diversos outros métodos naturais para o alívio da dor. Listamos aqui os principais. Uma ótima dica para conhecê-los e descobrir qual mais lhe agrada é fazer cursos de preparo para o parto e ser acompanhada por uma equipe multiprofissional. Esses métodos podem ser somados e complementados.

Métodos farmacológicos

Vamos aqui diferenciar dois conceitos: analgesia e anestesia.

A anestesia é uma mistura de substâncias que bloqueia a dor, os movimentos e as sensações, em uma parte do corpo ou em todo ele. É o que é utilizado na cesariana.

Já a analgesia, utilizado no parto vaginal, promove a perda da sensibilidade da dor, sendo possível se mexer e andar, dependendo da dose.

Optar pela analgesia no trabalho de parto é direito da mulher. Converse com o anestesista e com o seu obstetra sobre essa questão e peça que ele pontue os prós e contras.

É difícil saber antes qual medida de conforto natural ou alívio medicamentoso para dor que você usará. Depois de entrar em trabalho de parto, você poderá tomar decisões conforme a intensidade e a duração do parto. O mais importante agora é fazer sua lição de casa: descubra tudo o que puder sobre suas opções, fale com seu médico e confie em si mesma para tomar as decisões certas.

Planejamento: o parto – Parte 2

Agora que você já sabe os principais conceitos e acontecimentos do parto, vamos dar sequência a esse assunto para que agregue mais conhecimento e tenha poder para criticar e conversar com mais segurança e confiança.

Abordaremos agora sobre os profissionais envolvidos no parto, sobre quando ir à maternidade, sobre o plano de parto e sobre a possibilidade de eternizar este momento tão importante na vida da família: a chegada do bebê.

Profissionais envolvidos no parto

Inúmeros profissionais estão envolvidos na hora do parto e garantem a segurança, saúde e conforto da grávida e do bebê. Saber o que cada profissional faz deixará você mais segura neste momento tão importante. Falaremos agora dos principais profissionais incluídos no parto.

GESTANTE

- **Médico obstetra:** responsável pela coordenação da equipe e de todo o processo que leva ao parto. São os responsáveis pelos partos vaginais ou cesarianas.
- **Enfermeira obstetra:** são enfermeiras com especialização em atender gestantes durante o pré-natal e o parto. São elas que recebem a gestante no momento da internação, avaliam e entram em contato com o médico responsável para informá-los sobre as condições clínicas. É a profissional que estará com você a maior parte do tempo, realizando toda a monitorização necessária e comunicando ao obstetra.
- **Médico pediatra/neonatologista:** profissional responsável pelos primeiros cuidados com o recém-nascido. São eles que avaliam, fazem os primeiros exames, pesam, medem e cuidam do recém-nascido durante toda a internação.
- **Médico anestesista:** é o responsável por realizar a analgesia ou anestesia na gestante.
- **Doula:** a palavra *doula* vem do grego: mulher que serve. Doula é a profissional que dá suporte físico e emocional à gestante. Ela não é parteira, enfermeira e nem faz qualquer tipo de procedimento invasivo. Ela está ali, para oferecer conforto, tranquilidade e encorajar as mulheres que estão vivenciando este período de intensa transformação, que é o parto. Não são todas as maternidades que oferecem essa profissional. Caso deseje contratar uma doula, verifique as regras com a maternidade escolhida.

Quando ir para a maternidade

Você deve se perguntar: como vou saber quando ir para a maternidade? Quais são os sinais? Identificar o momento do parto é uma das principais preocupações das mulheres quando o fim da gravidez se aproxima. Alguns sinais indicam que o momento está próximo, mas cada mulher é única e o trabalho de parto progride com ritmos diferentes. De qualquer forma, é possível identificar os principais sinais e é sobre isso que falaremos agora.

Há três principais sinais distintos que você deve saber para identificar que o trabalho de parto já começou ou está próximo:

1. **Contrações:** durante o estágio inicial, as contrações são sentidas como cólicas menstruais. É mais um incômodo do que dor. Elas podem ser sentidas a cada 15-20 minutos com duração de cerca de 30-45 segundos. Conforme o trabalho de parto evolui, elas vão ficando mais dolorosas, mais frequentes e com duração maior. A partir do momento que sentir as contrações, comece a monitorar. Existem aplicativos que podem auxiliar nessa tarefa e não deixar você tão perdida. Peça ajuda ao seu companheiro para o monitoramento, se possível. Quando você sentir de duas a três contrações em dez minutos e que duram por volta de quarenta e cinco segundos ou mais, deve procurar o hospital e avisar seu médico. Este tempo é apenas uma média. Se estiver muito desconfortável com a dor e não conseguir fazer essa medição, procure um hospital e comunique seu

médico, caso tenha optado por fazer o parto com o obstetra que realizou o seu pré-natal.

2. **Eliminação do tampão mucoso:** o tampão mucoso é um muco que se forma na entrada do colo uterino com o objetivo de formar uma barreira de proteção contra bactérias e outros micro-organismos. Nas últimas semanas de gravidez, o colo tende a ficar mais fino e a dilatar para preparar para o parto. Isso pode ocasionar a perda do tampão mucoso. Você notará a saída de uma substância mucosa pela vagina, podendo ter alguns filetes de sangue. Atenção, a perda do tampão mucoso não é um sinal de início de trabalho de parto em si, e sim que o parto está se aproximando. A saída do tampão mucoso não acontece com todas as mulheres. Se o seu tampão não saiu, não se preocupe, é normal.

3. **Rompimento da bolsa:** a perda de líquido que pode molhar a perna e o lençol, ou não, a perda de líquido pode ser sutil e molhar gradualmente a sua calcinha. A bolsa romper não significa que o bebê necessariamente vai nascer como em filmes e novelas, mas indica que você precisa ir para a maternidade.

Caso haja algum sangramento vaginal, se notar uma diminuição na movimentação do bebê na barriga, avise o seu obstetra ou compareça à maternidade.

Principais intervenções no trabalho de parto

Todo trabalho de parto é único e progride de forma diferente entre uma pessoa e outra.

É muito importante conversar com o seu médico, pesquisar e se informar sobre as intervenções que podem ser necessárias durante o trabalho de parto e aquelas que não são mais utilizadas na atualidade.

Aqui listamos algumas intervenções para que você se informe e converse com o seu obstetra:

- **Episiotomia:** é um corte realizado na região do períneo, entre a vagina e ânus, que em tese facilita a saída do bebê durante o parto. A episiotomia não deveria ser realizada de forma rotineira.
- **Fórceps e vácuo extrator:** são instrumentos usados pelo obstetra para puxar o bebê para fora. A utilização dele só deve ser realizada em caso de extrema necessidade.
- **Ocitocina:** a ocitocina sintética é usada para acelerar a contração do útero e tornar o parto mais rápido. Importante ressaltar que a ocitocina pode não ser a vilã que tantos nas mídias sociais pintam. Ela pode ser necessária durante o seu trabalho de parto.
- **Enema:** é a lavagem intestinal realizada com medicamento, para esvaziar o intestino da mulher para o parto. Esse procedimento não facilita o parto e não é necessário. Você pode evacuar durante o trabalho de parto e isso é normal. Não fique constrangida, a equipe está preparada para que

isso aconteça e se caso acontecer, pode ser que você nem fique sabendo.

- **Tricotomia:** é a raspagem dos pelos. Não é obrigatório, você tem o direito de não autorizar esse procedimento. Apesar de não ser obrigatório, pela experiência das mães da rede Materneasy, a depilação no modo *Barbie full style*, ou seja, a depilação completa, é uma excelente opção. A higienização é melhor, principalmente por conta do sangramento no pós- parto. Se for assim o seu desejo, se programe para fazer com antecedência.
- **Exames de toque:** utilizado para avaliar a dilatação do colo do útero no trabalho de parto e posicionamento do bebê.
- **Litotomia:** é a posição para parir deitada, em posição ginecológica. Pode ser uma posição boa para a ergonomia do médico, mas talvez não seja boa para você. Um ponto importante a ser lembrado: a melhor posição é aquela em que você se sente confortável. Você tem esse direito de escolha.

Mesmo quando as intervenções são necessárias ou desejadas, você pode se envolver na tomada de decisão, por isso, é importante definir e escrever o seu plano de parto, assunto que abordaremos na sequência. Além disso, os profissionais envolvidos devem comunicar a você sobre qualquer intercorrência e solicitar sua permissão para realizar qualquer procedimento. Converse com seu companheiro sobre suas escolhas para que ele também possa lhe auxiliar nesse momento.

Plano de parto

Agora que já sabemos os principais conceitos e procedimentos que envolvem o parto, é possível elaborar o Plano de parto. Você já ouviu falar? Sabe o que é e o que contém neste documento?

O Plano de parto nada mais é do que um documento onde a gestante expõe todos os seus desejos e vontades, tudo que gostaria ou não que acontecesse durante o seu trabalho de parto, no parto em si, pós-parto e nos cuidados com o recém-nascido. É uma forma de deixar clara a sua comunicação com os profissionais, além de mostrar que você se preparou e se informou sobre o que pode acontecer no parto.

Para a elaboração do plano de parto é muito importante todo este conhecimento prévio que abordamos com vocês.

A maioria das maternidades já disponibiliza o modelo do plano de parto para a gestante preencher em seus sites. Entenda que as ideias contidas no seu plano de parto não constituem uma lista de obrigações ou permissões para a equipe que lhe atenderá durante o parto e nascimento do bebê, mas permitirá que os envolvidos conheçam seus desejos, escolhas e prioridades. Demonstrar as suas vontades diminuirá a sua ansiedade e trará mais tranquilidade e segurança para você durante este momento.

No plano de parto são listadas as suas preferências no que se relaciona ao trabalho de parto, parto, pós-parto, cuidados com o bebê e caso a cesárea seja necessária ou uma escolha.

No trabalho de parto você vai informar o seu posicionamento relacionado com:

- quem será o seu acompanhante;
- se terá doula;
- tricotomia;
- sobre a liberdade para caminhar, ingerir líquidos e escolher a posição que deseja;
- sobre utilização da banheira e de chuveiros;
- sobre a analgesia, entre outros.

No momento do parto você informará o seu posicionamento em relação:

- a posição que você gostaria de ganhar o bebê, seja ela na banqueta de parto, cócoras, quatro apoios, ou até mesmo na posição tradicional;
- quando fazer a força;
- episiotomia;
- à utilização de fórceps e vácuo extrator;
- quando e quem fará o corte do cordão umbilical. Nessa parte, se você decidiu pelo congelamento de sangue e/ou tecido do cordão umbilical, informe no seu plano de parto. O corte e o clampeamento é específico, e por isso é realizado pelo profissional da coleta.
- sobre o seu desejo de colocar o bebê no seu colo imediatamente após o parto com liberdade para mamar.
- se deseja música ou outro tipo de som, como sons da natureza, durante o parto.

No pós-parto você pode informar:

- sobre a saída da placenta;
- ter o bebê sempre com você.

Nos cuidados com o bebê você informa:

- quem dará o primeiro banho no bebê;
- como quer fazer a amamentação desse bebê;
- sobre a utilização de bicos, água glicosada e outros.

No plano de parto há também o registro de suas decisões, caso seja necessária ou escolhida a realização de uma cesariana. Nessa parte você informa seus desejos em relação a:

- entrar em trabalho de parto espontaneamente;
- presença do acompanhante na sala de parto;
- anestesia sem sedação;
- campo cirúrgico baixado ou transparente para ver o bebê;
- contato pele a pele com o bebê e amamentação após o nascimento.

É muita informação, sem dúvida! Mas certamente é importante o estudo e registro de tudo isso para que você tenha o mínimo de conhecimento a fim de poder criticar e entender tudo que ocorre durante esse momento tão importante. Isso certamente lhe trará confiança e segurança.

Não fique constrangida de fazer, discutir com o seu médico e levar o seu plano de parto para a maternidade. Ele é um documento tão importante que é recomendado pela Organização Mundial de Saúde. Faça com antecedência, as mães da rede Materneasy aconselham a elaboração do plano de parto por volta do 7º mês de gestação.

Equipe de foto/filmagem

Você sabia que é possível contratar uma equipe de foto e de filmagem especializada para registrar o seu parto, momento único em sua vida? Se esse for o seu desejo, verifique as regras na maternidade escolhida. Muitas maternidades possuem parcerias com profissionais. Caso deseje levar profissionais fora do catálogo da maternidade, verifique a necessidade de um cadastro prévio. Faça sua escolha e relembre este dia inesquecível.

Planejamento: malas da maternidade

Quando viajamos pensamos com antecedência o que vamos levar, o que podemos precisar, as roupas que vamos usar, e aqui não é diferente. Porém você não tem certeza exatamente quando essa viagem vai acontecer, então as malas devem estar prontas antes. Segundo o nosso cronograma guia e a dica de mães da rede Materneasy que os bebês foram um pouco apressados e chegaram antes do esperado, o ideal é que as malas estejam prontas até a 34ª semana de gestação e fiquem no carro a partir da 36ª semana, apenas por precaução.

Na oportunidade que for conhecer a maternidade, pergunte ao setor de hotelaria especificamente se é necessário ou permitido levar algumas coisas como toalhas ou seu travesseiro. Grande parte fornece todos esses itens, porém você querer levá-los de casa para seu conforto. O mesmo vale para comidas e refeições. A maioria das maternidades fornece a alimentação adequada e balanceada ao pós-parto e não permite a entrada externa de alimentos.

Deixe separado também toda a parte de documentação em uma pasta. Seus documentos e os do papai, originais e cópia de segurança, certidão de casamento (se houver), carteirinha do plano de saúde (nos primeiros trinta dias o bebê é atendido com a carteirinha da mãe. Depois desse período ele necessita possuir sua própria carteirinha. Verifique com o RH/ Departamento Pessoal da sua empresa ou diretamente com o plano de saúde a inclusão), cartão do pré-natal, últimos exames e plano de parto (se tiver feito um). Também vale levar o cartão de crédito e/ou talão de cheques para cobrir eventuais despesas não cobertas pelo plano de saúde. Também pergunte por esse tema na visita à maternidade.

Pense que é possível passar de um a três dias por lá, em média, e pode ser um pouco complicado que alguém vá em casa buscar algo que faltou, então vale também deixar uma cópia da chave de casa com algum familiar ou amigo, para o caso de precisarem de alguma coisa que ficou para trás. E por falar em dias, quando visitar a maternidade, pergunte sobre o estacionamento e se há pacotes de diárias e não se esqueça de ver estacionamentos próximos também. Quando for a hora de irem, já sabem onde parar. Vale também já deixar salvo no GPS o endereço da maternidade. A ansiedade da hora pode fazer errar o caminho.

Para organização da mala, tanto sua quanto do bebê, use e abuse de organizadores, nécessaires, saquinhos ou qualquer coisa que auxilie a ficar tudo separado, de fácil acesso e identificado. Apesar de muitas lojas venderem malas específicas para a maternidade, combinando com os conjuntos do bebê, as mães da rede Materneasy recomendam que você leve uma mala de viagem comum mesmo, de rodinha, que certamente você tem em casa. Será mais simples para levar e mais prático para organizar. Só deixe separado os itens do bebê dos demais. Se tiver duas malas pequenas, é o ideal.

Já falamos – mas não custa reforçar – o bebê deve sair da maternidade já no bebê conforto. Nada de ir atrás com ele no colo no carro, isso é uma infração de trânsito gravíssima. O lugar mais seguro para ele é, e sempre será, no bebê conforto e na cadeirinha. Confira se já está no carro e instalado antes de ir para a maternidade.

Mala da mamãe e do acompanhante

Muitas listas prontas da internet se esquecem do acompanhante e pensam só na mamãe. Porém a mala na verdade é para duas pessoas, mas não precisa de excessos, leve somente o necessário para um período tão curto.

Na lista anexa, disponível no final do livro, está o detalhamento sugeridos dos itens. Adapte-a a sua realidade.

Mala do bebê

Sabemos que você está superansiosa para ver o bebê dentro de cada roupinha linda e especial que você preparou, mas lembre-se de que o bebê está chegando ao mundo agora. Ele passou nove meses quentinho, envolvido pelo líquido amniótico e pela placenta e assim que ele sai, vai ser vestido com algo que não conhece, de tecido, onde os bracinhos e perninhas estão soltos e isso pode ser muito estranho para ele. Por isso, para as primeiras roupinhas privilegie o conforto.

Elas devem ser o mais simples e confortáveis possível, sem detalhes ou coisas que possam incomodar ou machucar. Que o bebê possa se manter e dormir aquecido, de preferência com uma mantinha servindo para o "charutinho" que falaremos mais adiante no módulo de sono.

Para facilitar, deixe cada troca completa de roupa do bebê em um saquinho ou organizador. Isso evitará que gaste muito tempo procurando os itens na mala. Normalmente, a primeira roupa do bebê na sala de parto é da própria maternidade, mas confirme essa informação no dia da visita. Aquela primeira roupinha escolhida com tanto carinho ficará para depois do banho.

Lembrancinhas e outros itens

Pode ser que você preparou outros itens para levar à maternidade, como lembrancinhas, quadro para a porta, livro de assinaturas do bebê, álcool gel para as visitas, secador de cabelo. Lembre-se de deixá-los separados também.

A caminho da maternidade

Está chegando a hora! Lembre-se de avisar quem for acompanhar você que está a caminho da maternidade. O médico e equipe que fará o parto, profissionais de apoio como a doula e a consultora de amamentação (se tiver optado por tê-las), familiares próximos se for seu desejo e equipe de foto e de filmagem e de coleta de célula tronco, caso tenha contratado.

Quando chegar à maternidade para a hora H, existem algumas questões burocráticas que também devem ser resolvidas. Provavelmente seu acompanhante assinará em seu nome na guia de internação, comprovantes de exames, guias de autorização e tudo mais que for necessário. Caso tenha feito a opção por um quarto individual, reforce a escolha nesta hora e deixe seu acompanhante orientado para isso. Guarde cópias de tudo que for assinado ou entregue, você pode precisar para reembolso do plano de saúde ou para o Imposto de Renda.

A reta final da gestação é um período natural de ansiedade e arrumar tudo pode ser algo a mais para aumentar isso. Então respire, utilize o material de apoio anexo e tudo bem se esquecer de algo. Vai dar tudo certo mesmo assim.

Planejamento: acertos finais

Falta pouco para o bebê chegar, agora é hora de fazer alguns acertos finais e garantir que tudo estará organizado nos primeiros dias. Aproveite esse tempo para resolver todas as pendências para que possa focar no bebê nos primeiros dias. Seguem algumas dicas para ajudar a colocar as coisas em ordem.

Casa

Possivelmente vocês não sairão de casa por pelo menos uma semana depois que o bebê nascer, até a primeira ida ao pediatra. Então é bom garantir que terão tudo em casa para o seu próprio conforto. Deixe pronto algumas marmitas de comida para alguns dias no freezer e geladeira e deixe à mão alguns deliveries pré-escolhidos para pedir rapidamente. Se possível, peça que alguém limpe a casa enquanto estão na maternidade, mas sem utilizar produtos com cheiro forte, pois o olfato do bebê é sensível. É necessário também uma última limpeza no quarto do bebê, incluindo lavagem de cortinas e demais itens de tecido do quarto. Assim, quando chegarem da maternidade, a casa está limpinha para receber o bebê. Se tiverem um pet, é a hora de deixar combinado quem cuidará do bichinho nesse período, e caso fique com vocês, tenham cuidado e atenção com a adaptação do bebê e do seu animal.

Burocracia e questões financeiras

Os primeiros dias com o bebê vão voar. Os dias e noites passam e, muitas vezes, você sequer saberá que dia é. Você não se lembrará dos boletos, mas pode ter certeza de que eles se lembrarão de você. Por isso, deixe programado o pagamento das contas dos próximos dias. Utilize o recurso de débito automático para as contas essenciais como energia e também cadastre o DDA para os pagamentos importantes. Revise o limite dos cartões de crédito e separe em conta o dinheiro disponível para emergências, em especial para eventos que possam não ser cobertos pelo plano de saúde. Guarde todos os recibos médicos que receber, tanto para pleitear reembolso com o plano posteriormente quanto para declarar no Imposto de Renda do ano seguinte aquilo que for passível de dedução.

Ajuda nos primeiros dias

Se tiver optado por ter ajuda nos primeiros dias em casa, seja de profissionais como enfermeiras quanto de algum familiar, deixe tudo combinado alguns dias antes. Se a ajuda vai dormir na casa com vocês, verifique onde e deixe o ambiente preparado. Se optar por ajuda de enfermeira, talvez sejam necessárias duas ou três enfermeiras, para se revezarem em turnos. Caso seja auxílio de um familiar, como os avós, conversem sobre este ser um período de adaptação para todos e que vocês precisam também de tempo para aprender a conhecer o bebê. Por vezes, a boa intenção em ajudar pode gerar conflitos em um momento onde as emoções já estão em um nível bem alto.

Combinados para a maternidade

Caso tenha contratado os serviços de profissionais que vão até a maternidade, como consultora de amamentação, doula, laboratório para coleta de cordão umbilical, equipe de foto e filmagem para o parto e outros, é válido um contato para avisar que o nascimento vai ocorrer nos próximos dias e confirmar os combinados. Deixe com seu acompanhante ou pessoa próxima os contatos desses profissionais para que eles possam ser acionados.

Visitas em casa

Quando se está na reta final da gestação é comum já atender o telefone falando "ainda não", quando questionam se já nasceu. É comum que familiares e amigos estejam ansiosos para conhecer logo o bebê. Caso não se sinta à vontade de receber visitas nos primeiros dias, deixe isso claro para as pessoas. Diga que precisam de um tempo para se habituarem a nova rotina e ao bebê. A maioria das pessoas terá o bom senso de aguardar um tempo ou de ligar antes perguntando se podem ir. Cada vez mais se torna comum a adoção da "Lua de Leite", um período mais extenso, por vezes de trinta dias, em que o casal não recebe visitas em casa e se dedica integralmente a conhecerem e se habituarem a nova vida com o bebê.

Falta muito pouco para tudo mudar e um mundo novo se abrir. Aproveite esses últimos momentos para descansar, resolver as últimas pendências e esperar o tempo passar mais rápido. Logo, logo, é hora de conhecer o bebê.

RECÉM-NASCIDO

RECÉM-NASCIDO

Nasceu. E agora?

Sim, finalmente aconteceu. A gestação que durou uma eternidade, finalmente chegou ao fim e agora você tem um pequeno pacotinho nos braços. E agora? O que fazer?

É normal sentir medo, é normal ter uma sensação de insegurança. De repente, todos a sua volta parecem saber tudo e tem algo pronto a dizer. Os parentes, os amigos, as enfermeiras, as mídias sociais... todos eles parecem saber mais do que você. Mas não. Eles só querem ajudar. No entanto, pode ser que esse excesso de interferência talvez até atrapalhe. Você fez sua parte. Leu, se informou, conversou com pessoas que passaram há poucos meses por isso. Você está munida de conhecimento para conduzir tudo a partir de agora. Precisa apenas de calma e tranquilidade. Serão dias intensos e de muitas descobertas, mas, acredite, você vai passar bem por isso.

Mas isso tudo é um spoiler do futuro. Você ainda está grávida enquanto está lendo este livro, então vamos voltar para a sala de parto e contar o que acontece a partir daí. Tente ler pelo menos até o módulo de cuidados com o recém-nascido antes de o bebê nascer, os conhecimentos serão úteis já na maternidade.

Logo que o bebê nasce e vocês finalmente se conhecem, independentemente da via de parto, após o corte do cordão umbilical, ele será avaliado pelo pediatra. Seus sinais vitais e respiração serão checados, ele será medido, pesado e vestido. Estando tudo bem, você ficará o tempo todo com o bebê. Caso tenha alguma intercorrência, isso será explicado e orientado pela equipe médica. Em condições normais, existem alguns protocolos recomendados e que são seguidos, a menos que vocês se manifestem previamente contra, como a aplicação de colírio de nitrato de prata para evitar risco de oftalmia gonocócica e a aplicação de uma dose de vitamina K para evitar a doença hemorrágica do recém-nascido, além da vacina contra hepatite B. Outros exames para verificar as condições de saúde do bebê serão feitos. Guarde com você todos os exames que a maternidade entregar para que possa mostrar ao pediatra e adicionar na caderneta de saúde.

Uma outra questão que pode ser resolvida enquanto estão na maternidade é a Certidão de Nascimento. Alguns hospitais contam com cartório para registro do bebê, que pode ser feito 24 horas depois do nascimento, com os documentos dos pais e a Declaração de Nascido Vivo (DNV) feita pela maternidade. Combine e leve escrito o nome do bebê para não ocorrer nenhum equívoco. Em alguns estados está disponível a Certidão de Nascimento Reduzida, que é pouco maior do que um documento de identidade e muito útil para ficar na bolsa do bebê ou na carteira da mãe. Se informe sobre essa possibilidade no cartório. Desde 2015, a Certidão de Nascimento já sai com o CPF do bebê, sem nenhum custo adicional.

RECÉM-NASCIDO

Agora que o bebê nasceu é hora de recuperar um pouco as energias, seja na sala de recuperação do pós-parto ou no próprio quarto, se o parto tiver ocorrido ali. Se você ainda estiver sentindo alguns desconfortos, avise sempre a equipe de enfermagem e ao médico. Falaremos de amamentação mais adiante, não se preocupe. Aproveite para descansar um pouco e deixe seu acompanhante acionar os combinados. Quem será avisado, fotos no grupo da família, se algo foi encomendado para ser entregue na maternidade, como balão com dados do nascimento ou lembrancinhas perecíveis. Em breve, poderão receber visitas. Talvez a essa altura do campeonato já existam algumas sentadas na recepção.

Sobre as visitas, cada maternidade possui uma política em relação ao número de pessoas, horário e itens que podem ser levados ao quarto. Se informe durante a visita. Já deixe acordado com seu parceiro. Caso não se sinta confortável para receber visitas ou queira fazer isso apenas a partir do segundo dia, externalize esse desejo às pessoas próximas e elas vão entender, é um momento íntimo, privado. As visitas devem seguir um protocolo básico: serem breves, lavar as mãos e só ter contato com o bebê ou tirar fotos com autorização dos pais, não ir se estiverem doentes e segurarem os conselhos e palpites.

Todos os conhecimentos serão aplicados. É hora de trocar fraldas, dar banho ou assistir que uma das enfermeiras faça, vestir as roupinhas, amamentar ao seio ou alimentar com complemento o bebê (conforme sua escolha, mas com intervalo máximo de três horas) e com o auxílio de profissionais. Tente descansar um pouco enquanto o bebê dorme ou simplesmente curtir alguns momentos de paz e serenidade só olhando pro rostinho do bebê, afinal vocês demoraram um bom tempo para se conhecerem e agora tem toda vida pela frente.

Mar de informações – nova mamãe

Após todo o mar de informações da gestação, que ajudamos você a navegar, é hora de continuar alerta. Você chegou sã e salva à praia, mas o que vem agora é um tsunami de informações sobre o bebê. São ainda mais páginas, perfis e mídias sobre todos os assuntos, dos tipos e cores do cocô aos marcos de desenvolvimento, do sono a alimentação, muitos tópicos que ainda vamos falar para que você possa se aprofundar no conhecimento.

Assim como na gestação, a palavra de ordem é filtrar. Você é a mãe e ninguém conhece o seu bebê melhor do que você. Tenha isso em mente.

O acesso à informação que temos atualmente é uma bênção da qual nossos pais e avós não tiveram o privilégio. A criação dos filhos era baseada no conhecimento passado entre as gerações, na base da tentativa e erro e fortemente baseada em crenças e superstições. Hoje temos a nosso favor a base profissional e científica, a disseminação e pluralidade das mais detalhadas informações e a possibilidade de discutir isso com outras mães do mundo inteiro, que já passaram, estão passando ou ainda vão passar o mesmo momento em que você se encontra.

Aqui os filtros devem ser ainda mais altos. Não tente ou faça algo com seu bebê que pode colocar a segurança dele em risco. Procure a orientação do pediatra e profissionais competentes. Não tome como absoluta verdade tudo que lê ou que for dito para você. Nós, as mães da rede Materneasy, gostaríamos que você tenha sempre o senso crítico para avaliar as informações, inclusive as passadas neste livro, buscando o conhecimento além e sempre validando suas decisões com o pediatra, quando for o caso. A experiência das mães da rede Materneasy chega a você neste livro como um facilitador, e não como regra.

O momento da chegada do bebê é intenso, cheio de surpresas, alegrias e emoções à flor da pele. Se afaste de tudo que não for para apoiar, facilitar e suportar esse momento. As recomendações da navegação no mar das informações permanecem: siga e absorva apenas o que agrega. Não se compare, não idealize e não se frustre. A melhor mãe para o seu filho é você.

Cuidados com a mamãe

Quando andamos de avião uma série de instruções de segurança são passadas aos passageiros e uma delas é relacionada às máscaras de oxigênio: coloque primeiro a máscara em você para depois auxiliar as demais pessoas. Você sabe o porquê dessa mensagem? Como você pode auxiliar alguém se você não se encontra protegido? Com a maternidade não é diferente, você precisa estar bem para cuidar do seu filho.

Quando nasce um filho, nasce também uma mãe. Uma mãe que precisa de cuidados, de carinho e de atenção.

O período após o parto, conhecido como puerpério, é o momento em que há intensas alterações hormonais, físicas e emocionais. É o momento de maior fragilidade e insegurança. É o momento em que há desequilíbrios no estado de humor da mulher, deixando-a mais vulnerável e sensível. É o momento de atenção. Esse estado de angústia e tristeza que acomete grande parte das mulheres é conhecido como *baby blues*. Para o chamado *baby blues* não há tratamento. É um estado passageiro. Se este estado persistir, evoluindo para uma tristeza profunda, associado com outros fatores como falta de apetite, concentração e interesse, pode se tratar de depressão pós-parto e nesse caso, sim, requer ajuda médica.

Se não bastasse toda esta bagunça que os hormônios fazem com o psicológico, alterações no corpo da mulher são inevitáveis. Todas as mães apresentam um sangramento intenso, os chamados lóquios, que dura cerca de quarenta dias. Além do sangramento, a flacidez e a sensação de barriga mole e oca permanecem alguns dias, às vezes meses, após o parto.

É mamãe, não é fácil. Peça ajuda nesse momento. Você não está só. Ter uma rede de apoio será libertador. A rede de apoio pode lhe ajudar nas tarefas do dia a dia, como também pode apenas estar com você, batendo um papo, tomando um café ou apenas segurando o bebê.

Cuide de você, fique bem para que possa passar tranquilidade, serenidade e confiança para o seu bebê. Cuide da sua alimentação. Uma dieta balanceada é fundamental para sua saúde e bem-estar. Consuma alimentos nutritivos e saudáveis e não se esqueça da água. Beba muita água.

Não se esqueça de agendar a consulta com o seu obstetra. Geralmente a consulta pós-parto é marcada cerca de dez dias após o nascimento do bebê. Seu obstetra vai avaliar a sua recuperação no pós-parto, avaliar seu estado de saúde geral, além de orientar sobre a espera para o retorno da atividade física e até a sexual após o parto.

A recomendação é que a mulher espere o resguardo passar para retomar a atividade sexual. Cerca de quarenta dias. Essa recomendação vale tanto para os partos vaginais quanto para as cesarianas.

É comum que após o parto a libido esteja diminuída e a vagina mais seca. É importante que para a retomada das atividades sexuais, ambos os parceiros estejam prontos física e emocionalmente.

Após o resguardo é recomendado agendar novamente a consulta com o seu obstetra para ele avaliar como foi a sua cicatrização, além de orientar sobre a retomada das atividades físicas e sexuais. Converse com o seu obstetra sobre os métodos contraceptivos disponíveis. Existem muitas opções e é importante selecionar a mais adequada para a maternidade, sobretudo se você amamenta.

Cuide de você para que possa cuidar do seu maior bem: o seu filho.

Toma que o filho é teu

Seu bebê nasceu e você não vê a hora da alta da maternidade, chegar em casa, retornar a sua rotina, mas agora de uma forma diferente, com um novo membro: o seu pacotinho que acabou de nascer.

Os primeiros dias podem ser desafiadores, cheio de dúvidas, novos aprendizados e transformações. É fácil sentir-se sobrecarregada com toda a demanda que seu bebê requer. Mas, não se preocupe, na gravidez você se planejou para este momento. E é agora que você vai acionar todos os planos e combinados.

Sua geladeira e despensa já devem estar cheias, então alimentação não será problema neste momento. Monitore o seu estoque ou peça a sua rede de apoio para fazer isso e mantenha sempre sua refeição no jeito. Se alimentar bem é muito importante. Sua tarefa nesse momento é dedicar-se a conhecer seu filho.

Não se esqueça de ligar para a sua consultora de amamentação e agendar uma visita, caso ela não tenha ido à maternidade. Como já falamos em módulo anterior, amamentar, ao contrário do que muitos dizem, não é uma tarefa natural, é um grande desafio. A consultora vai orientar você, agora na prática, como ter sucesso na amamentação. E acredite, sua consultora vai te salvar. Quanto mais cedo você aprender a maneira correta de amamentar, menor a chance de ter algum problema. Não espere o seu peito ferir para buscar ajuda.

Se você estiver se sentindo indisposta e fraca após o parto e não possui uma rede de apoio, acione a enfermeira já definida ainda na gestação para ajudar nos cuidados com você e com o seu bebê.

Agora que está em casa é hora de observar bem o seu bebê. É hora de conhecê-lo, e, claro, do seu bebê lhe conhecer também. Em seus primeiros dias, o bebê estará lidando com uma série de fatores desconhecidos e estranhos para ele, luz, sons, variação de temperatura. Seu bebê não saberá distinguir dia e noite e pode ser que acorde inúmeras vezes durante a noite. É um processo de aprendizado seu e do bebê. Observe todos os fatores e sinais e qualquer dúvida ou comportamentos estranhos, acione o seu pediatra ou leve-o de volta para a maternidade para que seja avaliado.

Existem cursos de primeiros socorros pediátricos que podem ser interessantes buscar e se informar para aprender a reconhecer situações de gravidade e como agir diante dessa situação.

Aqui vale um alerta tranquilizador: você já prestou atenção na bundinha ou na região das costas do seu bebê e acabou se assustando com a presença de uma mancha arroxeada, parecida com um hematoma? Caso a resposta for sim, não precisa se espantar: estamos falando da mancha mongólica, uma alteração comum e benigna que acontece em recém-nascidos em função da miscigenação. Não é necessário fazer nenhum tratamento para as manchas, elas costumam desaparecer aos poucos.

Há aplicativos que vão lhe auxiliar muito nos cuidados e rotina com o seu bebê. No aplicativo você insere informações como hora e duração de mamada, troca de fraldas, hora e tempo de soneca. Utilize a tecnologia para lhe ajudar neste momento e deixe este período mais tranquilo.

No próximo módulo falaremos dos principais cuidados com o recém-nascido, vamos conferir?

Cuidados básicos com o recém-nascido

Cuidar de um recém-nascido não é um bicho de sete cabeças. A humanidade chegou até aqui, então você também consegue. Estamos aqui para ajudar e passar algumas informações e dicas de cuidado que vão auxiliá-la neste momento. Não se preocupe, o medo é normal. Aos poucos você vai perceber que a conexão entre mãe e filho de fato existe e tudo se torna muito mais simples. E verá também que bebês são bem mais fortes, espertos e resistentes do que parecem.

Vamos aqui relembrar que é necessário agendar a primeira consulta com o pediatra. A primeira consulta é feita por volta do 10° dia de vida. Ligue para o consultório e informe que o seu filho nasceu. Mesmo não tendo disponibilidade, seu pediatra conseguirá um encaixe para você. Viu a importância de ter escolhido o pediatra ainda na gestação? Ainda na gestação, seu filho passou a ser paciente e o pediatra sabe a importância desta primeira consulta.

    Na maternidade são realizados o teste do coraçãozinho e teste do olhinho, obrigatoriamente, e podem, também, realizar o teste da orelhinha, da linguinha e do pezinho. Caso o seu bebê não tenha feito esses exames recomendados na maternidade ou é necessário repeti-los, leve-o para fazer. O próprio pediatra da maternidade já libera as guias do convênio para que você possa agendá-los. Todos esses testes são muitos simples e não invasivos, com exceção do teste do pezinho em que geralmente é feito um pequeno furo no calcanhar para coleta de sangue. Sobre esse teste, se informe sobre qual tipo é realizado na maternidade. O teste básico é o teste padrão, obrigatório por lei, oferecido pelo SUS. O teste ampliado é coberto pelo plano e verifica um maior número de doenças. Há também um teste ainda mais completo do que o ampliado, que não é coberto pelo plano, devendo ser pago separadamente. Podem ser oferecidos outros tipos de testes adicionais que verificam doenças genéticas e outras condições específicas, realizados por laboratórios privados e com custo à parte. Verifique com o pediatra a necessidade de tais testes. Não se esqueça também das vacinas, a hepatite B e a BCG são administradas logo ao nascer.

    Antes de entrar com os cuidados propriamente ditos, vamos relembrar sobre as visitas. Aqui a regra é a mesma da visita na maternidade: se o desejo for receber visitas após certo período, externalize esse desejo com o seu parceiro e converse com seus familiares. Assim como na maternidade, as visitas devem seguir um protocolo básico: serem breves, lavar as mãos e só ter contato com o bebê ou tirar fotos com autorização dos pais, não ir se estiverem doentes e segurarem os conselhos e palpites.

Então vamos aos cuidados com o recém-nascido:

Cuidados com o umbigo

Primeiramente deixaremos um alerta: o bebê não sente dor quando cuidamos do umbigo. O coto umbilical não possui terminações nervosas, por isso não dói. Geralmente o resquício do coto umbilical cai até o 15º dia de vida. Até lá é importante higienizar bem, pelo menos três vezes ao dia. Eleve o coto e com auxílio de um cotonete com álcool 70% e passe na base. Cuidado para não deixar cair o álcool na pele do bebê. Seque bem a base e limpe as secreções, se houver. Aos poucos o coto vai ficando seco e escuro. Mantenha o coto para fora da fralda e não é necessário utilizar faixa ou gaze para tampá-lo.

Higiene e cuidados com o bebê

Uma das maiores dificuldades dos pais nos primeiros dias de vida do bebê é com a hora do banho. Muitos têm medo e receio que algo aconteça. Fique tranquila, o seu bebê não quebra. É importante que você tenha calma e se sinta tranquila para passar isso ao bebê. O bebê sente o seu medo então passe confiança a ele neste momento.

O banho do recém-nascido deve ser breve. Deixe todos os itens necessários para o banho e troca de roupa separados. Procure deixar a temperatura da água em torno de 37-38°C. Utilize um termômetro de banheira, ou caso não tenha, faça o teste da água com o seu antebraço e cotovelo. Nunca utilize as mãos para testar a água da banheira.

Se for lavar os cabelos primeiro, seque-o logo após. Os bebês perdem muito calor pela cabeça. Quando virar o bebê de bruços para lavar as costas, cuidado para que o rosto não toque na água. Se o bebê chorar muito durante o banho, enrole ele numa toalha fralda e coloque ele enroladinho na água. Vá tirando a fralda da parte que for lavar aos poucos. Isso pode deixá-lo mais calmo. Utilizar rede para banho também pode ajudar muito.

A higiene das partes íntimas deve ser feita preferencialmente com algodão e água morna. Deixe o lenço umedecido para quando for passear com o seu bebê. Tenha um cuidado especial com a higiene das meninas: limpe sempre no sentido vulva> ânus. Não se esqueça da pomada para prevenir assaduras em toda troca de fralda.

Por falar em meninas, algumas podem ter uma pequena quantidade de sangramento ou secreção vaginal. Não se desespere. É normal. Eles são causados por hormônios transmitidos pela mãe.

A quantidade de xixi que os bebês fazem indica se estão mamando bem. Há no mercado modelo de fraldas para recém-nascidos que possuem uma tira de umidade que quando entram em contato com o xixi, mudam de cor. Uma ótima pedida, não é mesmo?

E o cocô? Você repara a cor do cocô do seu filho? Se a resposta for não, comece imediatamente. A cor do coco explica muita coisa. As primeiras fezes do recém-nascido são chamadas de mecônio. Não se assuste quando se depararem com um cocô preto. O mecônio é pastoso, consistente, de coloração verde-musgo, quase pretas e ocorrem até 24-48 horas após o parto. Com o tempo, as evacuações serão mais frequentes, mais líquidas e mais claras. Não se assuste também se o seu bebê não fizer cocô. Bebês que mamam no peito podem ficar até sete dias sem evacuar e bebês que usam fórmulas de três a cinco dias. Fique em observação e comunique ao pediatra.

Ah, vamos falar das unhas e o terror de onze entre dez pais. Você vai se surpreender com um pequeno ou pequena Wolverine em sua casa. Impressionante a capacidade de crescimento das unhas do seu bebê. Mantenha as unhas sempre aparadas para que o bebê não se arranhe ou se machuque. Use lixas suaves, cortadores ou tesouras de unha de bebê, a escolha é sua.

Banho de sol

Sempre que possível, leve seu bebê para tomar banho de sol. O tempo recomendado é em torno de dez minutos. O banho de sol deve ser dado antes das dez da manhã e após as quatro da tarde, pois o sol ainda não está tão forte. O sol estimula a produção de vitamina D e é um aliado no tratamento da icterícia.

Como falamos no início, a observação do recém-nascido é muito importante. Se observar seu bebê amarelo, comunique o seu pediatra ou leve-o à maternidade para avaliar o grau. A icterícia neonatal é uma condição muito comum, causada pelo excesso de bilirrubina no organismo do bebê. Não é uma condição de grande preocupação a princípio, mas necessita de avaliação para a indicação de tratamento com fototerapia ou não. Consulte sempre o pediatra.

Desconforto do bebê

Vamos falar no próximo módulo sobre o checklist do choro do bebê, mas um dos motivos de choro intenso são os desconfortos sentidos por eles.

As fraldas não trocadas podem ser um motivo de grande incômodo do bebê. Troque sempre a fralda quando já tiver um volume de urina e sempre a cada evacuação e no máximo a cada seis horas.

Nos primeiros meses de vida é comum a ocorrência de gases nos bebês. Alguns conseguem eliminá-los por meio dos arrotos e puns e outros bebês que sofrem mais, geralmente apresentam quadro de cólicas.

As cólicas costumam surgir a partir da 3ª semana de vida do bebê, geralmente em determinada hora do dia, sendo mais comuns no fim da tarde. Cólicas são motivos de muito choro. Há vários métodos para o alívio desse desconforto, como massagem na barriguinha, no sentido horário; compressas mornas no abdômen; deixar a barriga do bebê em contato com a sua; colocar para arrotar algumas vezes. O uso de medicamentos deve ser realizado somente por recomendação do pediatra. Converse também com o seu pediatra sobre as terapias alternativas e naturais para o alívio das cólicas. Não se preocupe, as cólicas tendem a desaparecer por volta dos 4 meses do bebê.

Outro motivo de desconforto é o refluxo. Se o seu bebê acaba de mamar e regurgita boa parte do leite pode ser um sinal de refluxo. Pode ser que o refluxo desapareça espontaneamente, mas, às vezes é preciso de tratamento. Converse com o seu pediatra e aponte todas as observações feitas para que ele possa indicar ou não um tratamento.

Arroto

Uma dúvida muito comum é se o bebê precisa arrotar depois que mama. Mas nem sempre o bebê arrota, o arroto não é obrigatório. A criança pode estar mamando com calma, ter uma pega boa, fazendo com que pouco ar entre no estômago. O que é indicado é manter o bebê ereto, depois da mamada, seja ela no peito ou na mamadeira, por cerca de vinte minutos. Se observar que seu bebê está com algum desconforto durante a mamada, tente colocá-lo para arrotar e depois continue a mamada.

Swaddle ou charutinho

A prática do charutinho já existe há anos. Consiste em enrolar o seu bebê em uma manta de tecido, deixando-o apertadinho, para que ele se sinta mais seguro, da mesma forma que ele se sentia no útero materno. O uso do charutinho ou do *swaddle* auxilia o bebê a se acalmar e pode trazer melhora no padrão de sono, além de ajudar a minimizar os efeitos do reflexo de Moro, já que muitos bebês acordam ou tem dificuldade em adormecer por não sentirem limites físicos em sua volta. Falaremos disso novamente no módulo do sono.

Como identificar se o bebê está com frio ou com calor?

Uma das dúvidas mais comuns é saber se o bebê está com frio ou com calor. Então como avaliar a temperatura do bebê? Ter mãos e pés gelados não significa que os bebês estejam com frio, pois as extremidades são geralmente mais frias por falta de circulação adequada. A maneira correta para verificar é colocando a mão na barriguinha, peito e costas. Se estiver mais fria do que o restante do corpo, é sinal de que seu bebê está passando frio. Caso esteja quente e seu bebê suando, ele pode estar passando calor.

Os bebês não sentem muito mais frio ou calor do que nós, adultos. Como dica prática, vista sempre o seu bebê com uma camada de roupas a mais do que você estiver usando. E, claro, bebês tranquilos, sem sinais de irritação, estão confortáveis e provavelmente na temperatura ideal.

Ah, outro mito: soluços não quer dizer que seu bebê esteja com frio, como diz a sabedoria popular. Soluços são apenas contrações involuntárias do diafragma e assim como aparecem, eles desaparecem.

Moleira do bebê

A moleira do bebê, também chamada de fontanela, é o espaço que separa os ossos do crânio do recém-nascido para facilitar a passagem do bebê no canal vaginal na hora do parto. A moleira também protege o cérebro enquanto ele cresce. É comum as mães se preocuparem com a moleira e se observarem algo incomum, contate o pediatra. Os pais devem ficar atentos quando a moleira está afundada, pois pode ser indício de desidratação. Se sentir a moleira pulsando, não se assustem, é comum em bebês que choram muito.

Mamães de meninas: evitem colocar faixas na cabeça quando elas forem muito novinhas, isso pode gerar uma pressão, comprimindo a região.

Não se apavorem quando pensarem nos cuidados com o bebê. Você vai dar conta. Tenha calma e conte com ajuda da sua rede de apoio ou de profissionais especializados, se precisarem.

O checklist do choro

A preocupação de todos os pais, sem exceção, é que não saberão identificar o motivo do choro do bebê. Lembre-se de que o choro é o único idioma que o bebê fala. É por meio dele que se dá a sua forma de comunicação. E assim como aprendemos um novo idioma, é possível, sim, aprender o que o seu filho quer dizer com cada choro até que você fique fluente.

No início pode parecer impossível identificar. Seu filho vai chorar por fome, pela fralda molhada, por sono ou simplesmente porque está entediado. Você saberá identificar não somente pelo choro em si, mas pela observação do seu bebê, pelo conjunto de sinais. Existem alguns aplicativos para celular que prometem identificar a causa do choro. As mães da rede Materneasy avisam que eles não funcionam magicamente. O resultado é quase sempre que eles também não conseguiram identificar. Mas sinta-se à vontade para testar.

À medida que o bebê vai crescendo ele passa a utilizar outras formas de comunicação como contato visual, alguns barulhinhos e balbucios, sorriem até chegar a apontar o que querem, e isso reduz a necessidade de choro. Mas no início é perfeitamente normal e esperado o choro e isso não quer dizer que você esteja fazendo algo errado.

Então, até que esteja fluente do idioma do choro, é interessante fazer sempre o checklist **EFFECTSS**. Mas o que é **EFFECTSS**?

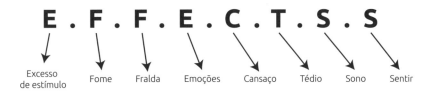

Excesso de estímulo

Um bebê, especialmente um muito pequeno, ainda está descobrindo o mundo. Muitas pessoas, barulho alto, muita agitação e sons podem ser demais para o pequeno. Em um ambiente com excesso de estímulos, o bebê pode fechar os olhos, demonstrar irritação e começar a chorar. Normalmente, basta sair com ele um pouco desse ambiente e ir para um lugar mais tranquilo para que ele se acalme.

Fome

Fome é quase sempre o palpite número um quando alguém escuta um bebê chorar. Mas aqui vale um exercício: qual o último horário em que o bebê se alimentou? Se foi há menos de quarenta minutos, dificilmente a razão será fome. Porém, se esse tempo é superior a três horas, pode possivelmente ser o motivo. Em geral, a fome vem acompanhada de outros sinais, como mão na boca ou chupando os dedos, abrindo a boca na intenção de sugar, e o choro normalmente é prolongado e só passa ao ser alimentado.

Fralda

Ao mesmo tempo em que a fralda é prática e necessária, ela pode ser um grande incômodo ao bebê. O contato com urina ou fezes pode deixar a pele irritada e ardida, as famosas assaduras, e isso pode ser motivo até de dor. Assim como falamos no módulo de cuidados com o recém-nascido, troque a fralda quando ela já tiver algum volume de urina, sempre a cada evacuação e no máximo a cada seis horas. Nas primeiras semanas o normal é entre oito a doze fraldas por dia, então certamente terão trocas antes desse tempo.

Emoções

O bebê é um ser humano completo como qualquer outro. Ele sente alegria, medo, susto, frustração, saudade, variação de humor, curiosidade e todos os sentimentos que nós temos. Em especial nos três primeiros meses, no período chamado exterogestação, o bebê tem bastante necessidade de contato físico. Para resolver esse choro é muito simples: colo e carinho fazem passar.

Cansaço

Ser bebê é uma tarefa difícil. Não conseguir fazer algo sozinho, ainda não se mover com autonomia e ainda por cima falar uma língua que os adultos não entendem? Bebês se cansam de ficar muito tempo na mesma posição ou no mesmo ambiente, se cansam de luzes fortes ou muito som. Também podem se cansar por muitos estímulos ou porque está quase chegando a hora de dormir. Normalmente esse choro é alto, nervoso e precisa um pouco mais de tempo para passar. Mude-o de posição e ambiente, vá para um lugar tranquilo e embale-o. E veja se está na hora de algum dos outros itens do checklist EFFECTSS.

Tédio

Se bebês são humanos, eles também têm o direito de se entediar. Ficar no carrinho ou no tapetinho muito tempo, ficar no seu colo enquanto você está parada conversando com uma amiga pode parecer uma eternidade para alguém que quer explorar o mundo. O choro acompanhado de agitação é um sinal clássico para mudar a distração.

Sono

Sono é tão importante e uma preocupação tão grande para os pais que temos um módulo somente para isso. Choro é apenas um dos inúmeros sinais possíveis de sono. Vamos falar disso mais para frente.

Sentir

Calor, frio e dor são algumas das coisas que o bebê pode sentir, afinal, ele é um pequeno ser humano. Desconforto, uma etiqueta da roupa incomodando, cólica ou gases, também são sentidos. O bebê pode chorar por frio ou calor e aí valem os ensinamentos dos cuidados com o recém-nascido para ver se ele não está com roupas a mais ou a menos. Sinais de desconforto, dor e incômodo também vão além do choro e podem incluir outros sinais físicos, como o bebê encolher as perninhas com cólica ou você notar a barriguinha estufada de gases. Para esse choro, remover a causa costuma resolver. Se for algo relacionado à temperatura ou incômodo, verifique as roupas. Se relacionado a desconforto gastrointestinal ou outras intercorrências médicas, utilize o que foi recomendado pelo pediatra para esses casos e entre em contato com ele para orientações se achar necessário.

Com o tempo, o checklist fica automático e intuitivo. Com o passar dos dias e a rotina, a identificação se tornará mais fácil, você e seu bebê já se conheceram melhor e o que era um mistério sem solução será resolvido em alguns minutos. E como você conhece o seu bebê melhor do que ninguém, se todo o checklist falhou e você sente que há algo errado, comunique-se com o pediatra.

BEBÊ

BEBÊ

Saindo com o bebê

O momento de sair com o bebê pode ser de grande dúvida e angústia para os novos pais. Algumas saídas são mandatórias, como saída para o pediatra e vacinas. Para as demais, não há regras. Algumas famílias somente se sentem confortáveis em sair após as primeiras vacinas aos 2 meses, outras podem optar por passeios mais curtos e mais cedo ainda e outras preferem evitar lugares fechados ou aglomerações por um bom tempo. Com bom senso na escolha do lugar, apesar dos cuidados de higiene serem necessários com o bebê, em especial enquanto é um recém-nascido, a necessidade de socialização dos pais também deve ser atendida. Tudo bem se vocês decidirem ficar um tempo em casa e tudo bem se decidirem sair um pouco, encontrar um casal de amigos para jantar ou almoçar na casa dos avós. Bebês, de maneira geral, gostam bastante de passear e receber novos estímulos. Por muitos anos na história, bebês e crianças não eram vistos em ambientes sociais, em especial os considerados de adultos, como restaurantes. Esse cenário começou a mudar na década de 1970, junto a diversas outras revoluções que passamos enquanto sociedade. A participação e integração das crianças no convívio social foi crescendo e temos hoje um cenário mais orgânico, em que elas são bem-vindas a esses espaços e poderão crescer sabendo que são parte da sociedade. Então se decidirem sair e o bebê chorar no restaurante, tirar uma soneca no carrinho ou demorarem um pouquinho mais pra voltar para casa, tudo bem. Desde que o bebê tenha suas necessidades fisiológicas e biológicas atendidas, tudo estará bem seja onde for.

Sair com o bebê, por um bom tempo, parece uma viagem. Seja uma ida rápida ao pediatra ou um passeio um pouco mais longo, é bastante coisa para levar que pode ser necessária. O bebê conforto/cadeirinha deve estar sempre no carro, se não utilizar o carrinho em casa ele pode já ficar no porta-malas também. Vale sempre deixar no carro também um pacote de lenços umedecidos, uma fralda de pano e uma manta, que podem ser bem úteis em alguma eventualidade. Dica de ouro das mães da rede Materneasy que já tiveram golfadas e outras surpresas no carro.

A maior aliada nas saídas é a bolsa do bebê. É nela que estará tudo que você poderá precisar. Ela deve ser prática, organizada e com lugares definidos para cada coisa, pois assim você saberá exatamente onde está cada item que precisa. Ela deve estar sempre pronta, e não ser arrumada somente na hora de sair. Primeiro, pois pode haver uma emergência e terem que sair rápido. E segundo que estando pronta é algo a menos para fazer antes de sair com o bebê, o que otimiza bastante o tempo. Uma boa prática, é sempre quando retornarem do passeio, já deixar a mochila pronta novamente. Retirar o que foi utilizado e substituir por novos itens e repor o que for necessário, como fraldas por exemplo.

A seguir temos uma sugestão do que ter sempre na mochila. Você pode optar por mais ou menos itens de acordo com a sua necessidade e do bebê, costumes, cultura ou clima da região. Lembre-se que não existe certo, existe o que funciona para vocês. Esse checklist também está disponível nos anexos deste tópico.

- Documentos da criança (certidão de nascimento original ou cópia autenticada ou reduzida, RG (se possuir), carteirinha do plano de saúde e Caderneta de Saúde)
- Fraldas em quantidade suficiente para todo o dia (mínimo 6)
- 3 trocas completas de roupa de acordo com a estação do ano
- 1 manta
- Alguns panos de boca e fralda de tecido
- Minifarmacinha (Medicamentos prescritos pelo pediatra, tanto de uso contínuo (se necessário) quanto de primeiros socorros (como antitérmicos e antigases. Recomendável também um termômetro).
- 1 saco impermeável (para roupas que molharem ou sujarem)
- Pomada para assadura
- 1 frasco de álcool gel
- Lenço umedecido (e um pouco de algodão, que também pode ser útil)
- Trocador portátil (geralmente já vem com a mochila)
- Chupeta, mamadeira e porta-leite (se utilizar)

Quando o bebê começa a introdução alimentar, mais alguns itens farão parte das saídas. Falaremos disso em outro tópico.

No caso de viagens, a bagagem será maior. Invista em organizadores de mala, eles são muito úteis. Além de mais roupas, fraldas, manta e panos de boca, deve-se levar inclusive os demais consumíveis, em especial os itens de banho e toalha. Somam à lista o berço portátil, brinquedos, a babá eletrônica e depois disso tudo, lembre-se de também pegar o bebê!

No mais, curta as saídas, mesmo que sejam breves, tire bastante fotos e faça vídeos. Esses momentos preciosos merecem ser registrados.

A importância da rotina

Para nós adultos a palavra "rotina" em algum momento da vida passou a ter conotação negativa. "Cair na rotina" é sinônimo de tédio, "Sair da rotina" é um chamado a libertação para algo novo. Mas é hora de ressignificar isso. Rotina, para o bebê, é essencial. É o que vai trazer equilíbrio e segurança. Se você está aqui se preparando para o que vai vir é porque quer ter uma vida melhor com o bebê. Deseja uma criança saudável, que se alimente e durma bem, que seja bem-disposta e tranquila e a rotina é a chave para tudo isso. Alimentação e sono andam sempre de mãos dadas com a rotina. Outro benefício é que, com uma rotina estabelecida e consolidada, você, mamãe, terá um tempo de qualidade, o que também é muito necessário.

A rotina é essencial desde o nascimento. Mesmo com poucos dias, os bebês já são capazes de identificar uma cadência de eventos, uma sequência de ações. Em pouco tempo percebem que algumas coisas que ocorrem durante o dia, não ocorrem durante a noite, como o próprio movimento da casa. Seres humanos armazenam informações por repetição e treino, logo, ao saber que as coisas acontecem todos os dias da mesma forma e nos mesmos horários, o bebê fica mais tranquilo. Todos nós nos sentimos mais seguros quando sabemos o que vai acontecer.

O recém-nascido está constantemente experimentando novas e intensas sensações. Na barriga, pelo cordão umbilical, era sempre alimentado. Isso agora ocorre de outra forma e ele precisa aprender a identificar o momento. Com o tempo, a rotina traz previsibilidade e continuidade, dois pilares essenciais para a boa condução do dia a dia com o bebê.

Ao chegar em casa da maternidade, comece a tentar estruturar uma cadência de atividades. Por exemplo, troque a fralda logo antes da mamada. Tente dar o banho da manhã e o da noite por volta dos mesmos horários. Quando dia, mantenha a casa arejada e iluminada. Estimule o bebê quando ele está acordado nesses períodos. No módulo de sono falaremos sobre janelas de sono, que é o tempo que o bebê consegue ficar acordado e que se altera de acordo com a idade e isso vai ajudar bastante na estruturação da rotina. Lentamente, em alguns dias, os efeitos começarão a ser notados.

É o momento de se valer a ajuda da tecnologia, como já demos a dica. Existem diversos aplicativos para celular para lançamento das atividades executadas com o bebê. Horário que dormiu e acordou, horário da alimentação (seja amamentação ou fórmula), hora que trocou a fralda e qual o conteúdo, horário de medicação (se for o caso). Esses aplicativos podem ajudar bastante a modular a rotina. É interessante registrar os eventos alguns dias e a partir daí devem ser feitas definições que vão guiar a rotina diária.

A rotina não é algo para ser regrado e imposto. Ela diz mais sobre a sequência de atividades que acontece todos os dias, mais ou menos no mesmo horário, com alguma flexibilidade, uma cadência de eventos, estruturada. Ela deve ser baseada nas necessidades e particularidades da família, bem como nas suas características culturais e regionais. Deve ser adaptada à medida que o bebê for crescendo, pois as necessidades mudam. As janelas se estendem e o número de sonecas diminuem. Após a introdução alimentar, entram as refeições para intercalar com as outras atividades do dia. No material anexo você encontrará exemplos de rotinas para cada idade até 1 ano, que podem servir como guia para que você se oriente e formate a sua. Mas se esforcem em ter a disciplina para adotarem a rotina por muitos anos. Ela também é de extrema importância para as crianças, sobretudo na primeira infância. Com o bom resultado, quando alguém perguntar como anda a rotina da vida, você vai responder sorrindo que anda ótima.

Exemplos de rotina são apresentadas no material anexo, disponíveis no final do livro.

Sono do bebê – a teoria

"Aproveita pra dormir agora" certamente é a frase mais ouvida por uma gestante. Creio que você já deve ter ouvido-a algumas vezes, em especial de amigos e parentes com filhos pequenos. O efeito disso é que o sono dos bebês passa a ser mais uma fonte de temor e angústia para os novos cuidadores, mas não precisa ser assim. O sono, bem como alimentação, rotina e a educação, podem ser estudados e implementados pelos cuidadores e aprendido pelos pequenos. É essencial que tenham o conhecimento e as estratégias para saber como agir em cada situação.

Neste módulo, abordaremos o conhecimento teórico necessário para que você compreenda como funciona o sono dos bebês. No módulo seguinte, algumas estratégias para condução do sono e dicas que podem auxiliar você em determinadas situações. Existem diversos cursos específicos sobre sono e serviços especializados de consultoria, on-line e presencial, tamanha a importância e dimensão do tema. Encorajamos fortemente que expanda seus estudos para além do apresentado a seguir. Não existe nada mais revigorante para uma mãe que uma boa noite de sono e isso é perfeitamente possível de se obter com uma significativa dose de paciência, persistência para seguir no objetivo e consistência para aplicação das estratégias.

Lembre-se que bebês são folhas em branco, que aprendem o que nós ensinamos e da forma como ensinamos. Cabe aos pais, portanto, ensinar a dormir. Esse processo deverá ser uma condução gentil, não um treinamento rigoroso, mas sim teoria aliada à prática.

Conceitos importantes

Os conceitos apresentados são importantes para a compreensão de como funciona o sono dos bebês e talvez a ajude a entender até porque alguns adultos possuem dificuldades em dormir. Vale relembrar que o sono anda de mãos dadas com a rotina e eles serão parceiros pela vida afora.

Para chegar ao ponto de o bebê dormir a noite toda, o processo começa pela manhã. A rotina, que incluem as sonecas e uma alimentação adequada, deve ser estruturada desde o momento que o bebê desperta para iniciar o dia.

Esteja sempre em contato com o pediatra para que possíveis intercorrências como refluxo ou APLV (alergia à proteína do leite de vaca) não interfiram tanto no dia quanto na noite. Condições médicas como as citadas, ou eventos como o nascimento dos dentes, não influenciam somente na noite e sim durante todo o tempo.

Todo bebê gosta e é capaz de aprender a dormir. Dê a seu filho e sua família esse presente. Com o conhecimento e as estratégias, vocês serão capazes.

Ciclo circadiano e os mecanismos do sono

Quando ainda vivíamos nas cavernas o nascer do sol era a referência para o início do dia e quando ele se pusesse no horizonte, era o início da noite. Esse ritmo ditava a vida de todos os seres humanos e assim é programado naturalmente o nosso organismo no chamado ciclo circadiano. Porém, hoje temos luzes artificiais e habitações muito mais seguras de que cavernas para quebrá-lo. O ciclo circadiano significa "cerca de um dia", 24 horas, e por adultos já terem evoluído neurologicamente, biologicamente e fisiologicamente, somos capazes de dormir a noite toda. Bebês possuem, até o amadurecimento (por volta dos 3 meses), o ciclo ultradiano (vinte horas) e é por isso que eles têm necessidade de se alimentar e evacuar durante a noite, por exemplo, diferentemente dos adultos.

Para entendermos o processo de sono, é necessário conhecer e atuar em seus três mecanismos:

- **Neurológico:** é como o sono se estabelece, em fases: sono profundo e sono leve.
- **Biológico:** é como o sono atua em questões que se refletem no nosso corpo, na liberação de hormônios como a melatonina e o cortisol.
- **Comportamental:** conjunto das ações que indicam o momento de dormir, como a rotina e o ritual do sono.

Quando esses fatores estão desequilibrados, temos as situações extremas. Bebês que não dormem por horas e horas seguidas e que incluem muito choro, possivelmente não tiveram suas necessidades atendidas e o corpo em vez de produzir melatonina para induzir o sono, produz cortisol, o hormônio que nos mantém acordados e alertas, o mesmo hormônio do estresse. Essa situação é popularmente conhecida como "bebê vulcão". Para evitar isso, se atentem aos conteúdos a seguir para saber como atuar nos mecanismos.

Fases do sono

O sono do bebê (e dos adultos) é modulado alternando entre períodos de sono profundo e de sono leve. A diferença substancial é que essa alternância é muito mais frequente nos bebês e, portanto, os períodos de sono profundo ou leve contínuo são bem menores. Já no primeiro dia na maternidade é possível observar a diferença entre os dois estágios. Esteja atenta aos sinais a seguir.

- **Sono profundo:** quando está nessa fase o bebê que tem uma respiração regular, mais lenta. O corpo fica bem relaxado, geralmente com as mãos aberta e a feição tranquila.

- **Sono leve:** é bem mais simples de reconhecer. O bebê move-se um pouco, a respiração é mais acelerada, é possível ver os olhos se movimentando embaixo das pálpebras e as mãos permanecem fechadas.

Sinais de sono

Seria realmente fácil se o bebê apenas fechasse os olhos e dormisse. Mas a realidade é que os sinais de sono são diversos e você só saberá qual ou quais o seu filho apresenta por observação. Muitos deles podem passar despercebidos no início, porém um olhar mais detalhado ao bebê revelará quais são seus sinais característicos. Segue alguns mais óbvios e notáveis: bocejar, coçar os olhos, rosto, cabelos ou orelhas, perda de interesse no ambiente, olhar parado, ficar muito quieto. Alguns mais sutis: olhos avermelhados (globo ocular e região das olheiras), vermelhidão em volta da sobrancelha, mau humor, choro (choramingos), agitação, irritação e até mesmo soluços. Seu bebê poderá apresentar um ou vários desses sinais. Esteja atento a eles e a janela de sono que falaremos a seguir. Identificar esses sinais para conduzir ao sono é de grande ajuda.

Janelas de sono

Janela de sono é o tempo que o bebê é capaz de ficar acordado entre uma soneca e outra. Conhecer e respeitar esse tempo é essencial para uma boa condução de sono. É saudável e necessário que o bebê durma durante o dia e que você conheça as janelas de sono para que não haja resistência nas sonecas e elas ocorram no momento certo.

Em especial no primeiro semestre, essas janelas se alteram praticamente a cada mês, e a partir do momento que os bebês passam a ficar mais tempo acordados durante o dia eles começam a modular a noite para dormir continuamente por um maior período de tempo. Se atente a tabela a seguir e utilize o relógio ou um aplicativo para te auxiliar. Nesse momento, o mais importante é o horário de alimentação não ser o mesmo ou próximo da soneca para o bebê não se habituar a dormir mamando. Ele deve acordar, mamar, brincar e então dormir.

A tabela da janela de sono é um referencial para você conduzir o seu bebê. Observe os sinais, pois pode ser que seu bebê apresente sinais de sono para dormir antes do fim da janela ou esteja em uma diferente da idade correspondente a dele (isso pode ocorrer na transição entre as idades). Normalmente, a janela de sono da primeira soneca tende a ser mais curta.

IDADE DO BEBÊ	TEMPO ACORDADO ENTRE AS SONECAS	DURAÇÃO DAS SONECAS	NÚMERO DE SONECAS	TEMPO TOTAL DE SONO DIÁRIO
Recém-nascido	20 a 45 min	40min até 2h30min	5 a 7 sonecas	16 a 20h
1 mês	45 min a 1 h	40min até 2h30min	5 a 6 sonecas	16 a 18h
2 meses	1h a 1h30min	40min até 2h30min	5 a 6 sonecas	15 a 17h
3 meses	1h30min	40 min até 2h	4 a 5 sonecas	15 a 17h
4 meses	1h30min a 2h	40 min até 2h	3 a 4 sonecas	14 a 16h
5 meses	3h a 2h30min	40 min até 2h	3 sonecas	14 a 15h
6 meses	2h30min a 3h	40 min até 2h	2 a 3 sonecas	14 a 15h
7 meses	3h	40 min até 2h	2 a 3 sonecas	13 a 14h

8 a 12 meses	3h a 3h30min	40 min até 2h	2 sonecas	13 a 15h
13 a 24 meses	4 a 6h	40 min até 2h	1 a 2 sonecas	12 a 13h
25 a 36 meses	6 a 7h	40 min até 1h	1 soneca	11 a 12h

Associações de sono

É comum ver em séries e filmes a imagem da mãe ou o pai, em plena madrugada, balançando suavemente o bebê para que ele volte a dormir. Ou então ouvir aquela amiga que foi recém-mãe dizer que "o meu bebê só dorme no peito". É comum ouvir também "ele só dorme no colo". Lembre-se: o bebê aprende o que ensinamos e como ensinamos.

Esses são exemplos de associações negativas de sono. São associações que, uma vez instaladas, o bebê vai precisar para voltar a dormir. Como os ciclos de sono são mais curtos, como explicamos, ao ter um microdespertar o bebê não será capaz de voltar a dormir sozinho, visto que ele associou o ato de dormir a alguma ajuda externa, seja colo, mamar para dormir (seja peito ou mamadeira), balançar ou qualquer outra ação que gere a dependência. Falaremos na parte prática o que fazer caso alguma associação de sono esteja instalada. Mas para que isso não aconteça, é bem simples: não faça. Não balance o bebê para que ele durma, andando de um lado para outro do quarto. Não fique com ele no colo por horas a fio adormecido. Ele pode e deve ter todo o colo do mundo acordado, mas quando estiver dormindo, o melhor lugar é o berço. O bebê deve ser conduzido para que possa adormecer sozinho, seja para iniciar o sono noturno ou quando houver um breve despertar.

Para recém-nascidos, a janela de sono é bem curta. Sendo assim, é comum eles adormecerem durante a amamentação, muitas vezes não fazem a mamada efetiva por causa do sono. Uma dica é tentar amamentar no início da janela de sono e se o bebê adormecer e não estiver fazendo a mamada efetiva, estimule-o, mexa nos pés, orelhas, mãos, tente despertá-lo para que consiga mamar. À medida que o bebê cresce e a janela de sono aumenta, evite este hábito para que não se torne uma associação.

Porém, nem toda associação de sono é negativa. Existem algumas associações positivas de sono, como o ruído branco, que nada mais é que um som que vai auxiliar a induzir a concentração para dormir. Para os bebês um pouco maiores, a adoção de um objeto de conforto, a popular "naninha", pode ter efeito benéfico. As associações positivas são elementos que auxiliam o sono e que não necessitam da interferência dos pais. Falaremos mais sobre isso na parte prática.

O sono do recém-nascido aos 3 meses

Desde o nascimento, é possível induzir bons hábitos de sono no bebê. Lembre-se, ele está aprendendo tudo que ensinamos. É nessa fase, o primeiro trimestre, que são formadas as associações de sono, sejam elas positivas ou negativas. A condução do sono nessa fase se resume a observar e respeitar as janelas de sono e evitar as associações negativas para que elas não se tornem hábitos e criar e consolidar o ritual para o sono. Nesse momento, é possível que o bebê acorde para iniciar o dia entre as seis e oito da manhã, e não há nada errado com isso. O importante é que a partir do despertar a rotina que foi estruturada e definida seja aplicada ao longo do dia.

Em geral, o bebê recém-nascido deve ser alimentado no máximo de três em três horas então não espere que o bebê vá dormir a noite toda desde a primeira semana pois isso não é biologicamente possível. Apenas com cerca de 6 semanas que o bebê começa a aprender a diferenciar o que é dia e o que é noite. Somente por volta de 12 semanas é que se inicia a produção da melatonina, o hormônio do sono, e a partir daí o relógio biológico próprio do bebê começa a entrar em ação de fato.

Com o passar das semanas, o ganho de peso estando adequado e com a anuência do pediatra, não será mais necessário acordar o bebê para ser alimentado. Para alguns bebês isso pode ocorrer por volta dos 2 meses ou mesmo antes. De maneira geral, um bebê até os 3 meses não tem condições de realizar mais de seis horas de sono contínuo. Ele vai acordar para ser alimentado uma ou no máximo duas vezes antes das cinco da manhã. É possível que um bebê de 3 meses saudável e que foi conduzido ao sono desde o nascimento durma a noite inteira, mas isso não é a regra. Você vai perceber que a partir dos 3 meses a janela de sono se altera e o bebê ficará mais tempo acordado durante o dia. O cenário mais comum é que o bebê passe a dormir a noite toda entre 7 e 8 meses, após o desmame noturno e desde que tenha sido conduzido desde o início a isso.

O ritual de sono

Como parte da rotina, o bebê deve saber que aquela sequência de atos que está sendo executada é porque chegou a hora de dormir.

Para isso, o ritual deve ser realizado sempre que possível no mesmo período, com as mesmas ações, em um balé quase tedioso de eventos, em especial nos primeiros três meses. Por exemplo, ao ser alimentado, tomar banho e ter a roupa trocada já com a luz baixa no quarto, o bebê aprende a identificar que essa sequência específica de ações antecede a hora de dormir.

Não se esqueça do pijama. Bebês também se sentem mais confortáveis dormindo com pijamas. Além, é claro, de fazerem a associação correta à hora de dormir. Quando acordarem, retire o pijama e coloque a roupa que ele vai passar o dia.

Essa previsibilidade dá segurança e conforto ao bebê e pode ser flexibilizada depois do sono consolidado, quando o bebê saberá sozinho que é hora de dormir. Exemplificaremos alguns rituais de sono na parte prática, mas ele deve ser definido de acordo com as necessidades, realidade e particularidades de cada família.

O choro

Como já falamos, o choro é a única forma de comunicação do bebê. Ele vai chorar tanto quando está com sono como quando não está e houver resistência. Vai chorar reivindicando sua presença e vai chorar principalmente, pois é uma mudança de comportamento. Não há nenhum método, dentre todos testados pelas mães da rede Materneasy, que não envolva um pouco de choro. Isso não significa de forma alguma deixar o bebê esgoelando no berço até se cansar, mas sim auxiliá-lo nesse processo, com carinho, tempo e o auxílio das estratégias de condução do sono.

Mitos sobre o sono do bebê

Vamos desmentir algumas fake news sobre o sono do bebê que você certamente já ouviu falar.

1. *Não deixar o bebê dormir de dia para dormir de noite*
Por todos os aspectos já apresentados, é notável que essa frase é totalmente equivocada. É justamente a eficácia das sonecas do dia que vai auxiliar a modular o sono da noite.

2. *Bebê precisa de chupeta para dormir*
Precisar, não precisa. As mães da rede Materneasy não vão negar que, em grande parte dos casos, a chupeta se mostrou uma ferramenta para auxiliar neste processo já que ela supre a necessidade de sucção do bebê. Mas ela não é mandatória, é possível realizar a condução do sono sem o auxílio de uma. Em algumas situações a chupeta pode se tornar uma associação negativa, caso o bebê necessite dela para voltar a dormir e ainda não consiga fazer isso sozinho. Se optar por oferecer a chupeta, falaremos um pouco na parte prática de estratégias para isso.

3. *Todo bebê aprende a dormir sozinho. É uma fase e vai passar*
Não é uma fase. Não vai passar. E pode piorar. São comuns os relatos de crianças com extremos problemas de sono entre 2 e 5 anos, o que reflete no desenvolvimento, desempenho escolar, comportamento, alimentação e em alguns casos, na própria saúde. Realizar o processo de condução de sono aliado a uma rotina estruturada é a maneira de evitar precocemente esse tipo de situação.

4. *Criança que se cansa durante o dia dorme melhor à noite*
Assim como é falsa a afirmação que criança que não dorme de dia dorme de noite, essa também é equivocada. É saudável e necessário o bebê gastar energia, brincar e ser estimulado, porém isso não pode ser a tal ponto que o leve a exaustão. Por vezes um excessivo número de atividades ou muitos estímulos pode deixar o bebê tão alerta que ele terá dificuldades para relaxar para dormir. Ou pode acabar dormindo bem mais cedo do que o habitual e acorde na madrugada.

5. *É só dar um chazinho ou remedinho que dorme*
Além de falsa, essa frase é perigosa. Absolutamente nenhuma substância deve ser ministrada a um bebê sem a recomendação do pediatra. Chás, em especial para menores de 6 meses, têm potencial alergênico e tóxico. Medicamentos como melatonina sintética podem inibir a capacidade do organismo de produzi-la naturalmente. Não exponha seu filho ao risco e esteja sempre alinhada com o pediatra.

Sono do bebê – a prática

Agora que você já sabe os mecanismos, janelas e sinais de sono, é possível colocar em prática as estratégias de condução do sono. Lembre-se que desde cedo, já na maternidade, ao nascer, o seu bebê vai demonstrar diversos sinais que com o tempo você e o papai aprenderão a interpretar.

O sono é um processo, a condução do aprendizado é gradual, assim como aprender a andar e a falar. Será necessário algum tempo, muitas repetições e bastante paciência para que o aprendizado se consolide. Quanto mais cedo essa condução se iniciar, menor a probabilidade de instalação de associações negativas e menor a necessidade de uma mudança de comportamento que gere resistência do bebê, pois o caminho ensinado já foi o correto. Um bebê que sabe dormir sozinho também é um bebê mais autônomo em diversas outras situações como brincar ou se alimentar, o que é uma excelente característica a ser incentivada.

Pense um pouco na situação a seguir e reflita: o que é melhor? Comer de forma descontrolada e errônea e depois ter que ir para academia, fazer dieta e arcar com problemas de saúde ou comer moderadamente e de forma saudável e ter boas práticas de exercício? No primeiro cenário, mudar o comportamento será muito mais difícil do que no segundo, haverá resistência e possivelmente desistência no meio da jornada. Ao adotar o segundo caminho, os sacrifícios serão menores e os benefícios muito maiores e mais rápidos. Com o sono é a mesma coisa. Uma boa condução, feita o mais cedo possível, auxilia em não haver problema para ser corrigido depois.

Também é necessária uma mudança forte de *mindset* para que você tenha a resiliência necessária para guiar essa condução. Não aceite como verdade universal frases como "é normal ficar dois anos sem dormir", "bebê é isso mesmo, acorda de hora em hora", "é só uma fase", "deixa assim agora, depois cresce". Uma boa noite de sono é essencial para o bebê e para os cuidadores. Vocês serão uma família mais feliz e mais disposta e isso não tem preço.

O lugar para o sono

Durante as primeiras 6 semanas, o bebê ainda está aprendendo o que é dia e o que é noite. Nesse período, para as sonecas diurnas, o quarto pode ser mantido no claro ou levemente na penumbra. Após esse período, ele pode ser escurecido para as sonecas do dia e deve ser completamente escuro para o sono noturno. Como já mencionamos no módulo sobre a casa, revise aqui se você possui os meios de barrar essa luminosidade. Caso não, cartolina preta ou insulfilm na janela ou cortina do tipo "blackout" fazem o trabalho.

Se a intenção é ensinar ao bebê que o lugar de dormir é no berço, seja diretamente o do quarto dele ou o co-sleeper, se tiver optado por esse caminho, este é o lugar onde as sonecas devem ser realizadas. Ocasionalmente uma ou outra soneca no carrinho, em um ninho (almofada própria para este fim, busque em lojas de enxoval) próximo a você ou mesmo no colo não vão prejudicar a condução, mas lembre-se de que é um aprendizado e portanto a maioria das sonecas deve ser no berço, caso seja isso que queira ensinar.

O ritual do sono

O ritual é importante tanto para as sonecas quanto para o sono noturno. Ao repetir a mesma sequência de ações todos os dias, o bebê vai se habituar ao que vai acontecer. Uma sugestão de ritual para as sonecas é, ao perceber os sinais de sono e estando a janela dentro do período para idade, levar o bebê para o quarto, conversar que é hora de dormir e utilizar uma ou mais das estratégias que vamos sugerir. Para o sono noturno, a mesma coisa, porém normalmente o ritual contemplará o bebê ser alimentado, em seguida tomar um banho mais quentinho e relaxante, ser trocado com a luz do quarto mais baixa e em sequência ser colocado para dormir. Esta ordem: alimentação-banho-dormir, se mostrou muito eficiente para as mães da rede Materneasy. Primeiro, porque ao alimentar primeiro o bebê e depois dar o banho, há um intervalo para que o leite "desça" e comece a ser digerido, o que pode diminuir golfadas e casos de refluxo. Segundo porque quando os dentinhos começarem a nascer eles precisarão ser escovados e essa ordem ajuda a colocar mais este item na rotina.

Lembre-se que o ritual deve ser natural, um momento especial para vocês. Se for importante ler uma história, cantar uma música ou fazer uma oração, faça. Mas faça antes de colocar no berço. A partir desse momento, o berço é para dormir.

Pela questão de produção da melatonina, o ideal é que o ritual do sono noturno seja realizado entre sete e oito horas da noite, pois a produção tem seu pico por volta das nove horas e vai decrescendo até cessar por volta de cinco da manhã. Tente estruturar sua rotina para atender a esta janela.

Estratégias para a condução do sono

Não há receitas mágicas, milagre ou fórmula infalível para o sono. O que existe são estratégias, uma caixa de ferramentas, que auxiliam no processo de condução do sono. Algumas podem funcionar para o seu bebê e outras, não. Afinal, ele também demonstrará suas preferências para dormir. O bebê, desde o nascimento, deve ser posicionado de barriga para cima para dormir, mas a partir do momento que alguns conseguem virar e desvirar sozinhos, podem optar por dormir de bruços. Alguns dormem abraçados a naninha após os 5 ou 6 meses, ou em posições de dar inveja a um contorcionista. São preferências pessoais e vão aparecer com o tempo.

A seguir a descrição de algumas estratégias utilizadas pelas mães da rede Materneasy e que podem auxiliar.

Swaddle ou "charutinho"

Os bebês apresentam, do nascimento até cerca de 3 meses, um reflexo natural denominado "Reflexo de Moro", em que o bebê abre os braços repentinamente, como se tivesse se assustado. É um reflexo espontâneo e involuntário que indica que o sistema nervoso do bebê está se desenvolvendo da forma correta. Ele tende a passar naturalmente até os 4 meses, mas pode ser um pequeno empecilho para o sono, o bebê pode acordar com o movimento dos seus próprios braços.

Para auxiliar nisso, é possível envolver o bebê com uma manta fazendo o que é popularmente conhecido como "charutinho", a fim de que o bebê se sinta mais seguro e não acorde pelos movimentos. Isso pode ser feito desde a maternidade. Além da manta, pode ser utilizado um *Swaddle*, que nada mais é que uma manta já com o formato correto e velcro para fechamento, para auxiliar ao envolver o bebê. Essa estratégia pode ser utilizada tanto nas sonecas quanto no sono noturno.

A partir do momento que o bebê já não apresenta tantos reflexos ou começa a se virar, o que em geral ocorre por volta dos 4 meses, esta estratégia não deve ser mais utilizada.

Técnica do travesseiro ou ninho

O bebê saiu de um ambiente quentinho, aconchegante e macio como o útero para um ambiente frio, pouco confortável e enorme.

Exercite a empatia e imagine: se você fosse o bebê, você iria gostar? Se ele pudesse escolher, voltaria para a barriga. Então o famoso "berço de espinhos" ocorre simplesmente porque o bebê ainda precisa se acostumar a um ambiente que é totalmente o oposto do que ele viveu por cerca de nove meses.

Para evitar a associação negativa com o colo, utilize um travesseiro bem fino e macio ou um ninho em seu colo. O ninho, por ser uma almofada própria, em geral macia e aconchegante, pode auxiliar nessa transição. Quando o bebê estiver sonolento, coloque-o dentro do berço, com ele em cima do travesseiro ou dentro do ninho mesmo. Se o bebê já estava sonolento antes de ser levado ao quarto, pode colocá-lo diretamente.

Portanto, utilizar um travesseiro bem fino ou um ninho, pode ajudar. O bebê ainda não se mexe tanto, não há risco de que ele saia rolando do travesseiro ou sufoque. Não deixe que o medo a paralise. Cautela e bom senso são sempre válidos em qualquer situação, mas o medo paralisante leva à paranoia e à neurose e isso não combina com a maternidade, já tão cheia de temores.

Esta é uma técnica intermediária, que deve ser utilizada somente nos três primeiros meses, enquanto o bebê se acostuma ao berço. Quando ele for capaz de se mexer, virar ou ficar maior do que o ninho, essa estratégia não é mais válida.

Shhhhhhh e ruído branco

Parece algo natural, quase biológico, pegar um bebê no colo e fazer *Shhhhhhh*, o som sibilar com os lábios, para acalmá-lo. Essa é uma técnica milenar, mas funciona, pois esse som é muito parecido com o que o bebê escuta enquanto está na barriga. Um som de chiado, formado pelos órgãos da mãe, o coração batendo, a respiração acontecendo e os barulhos do mundo do lado de fora, formam uma sinfonia relaxante. Ao fazer o *Shhhhhh* o bebê é induzido a voltar para esse ambiente tão acolhedor onde se sentia tão bem. Ao conjunto desses sons, damos o nome de ruído branco. Todo som com igual intensidade é capaz de induzir uma concentração para o sono. São exemplos o barulho do secador de cabelo, ar-condicionado, turbina de avião, TV fora de sintonia ou um ventilador. Esses sons podem ajudar o bebê a recriar essa atmosfera uterina e adormecer mais facilmente. Mas não precisam deixar esses equipamentos ligados perto do bebê para ter ruído branco. Faça como as mães da rede Materneasy e utilize a tecnologia. Há diversos aplicativos para celular, babás eletrônicas, vídeos e áudios em serviços de streaming e até bichinhos de pelúcia com essa função. Alguns reproduzem os sons citados, outros tentam reproduzir o som do útero inclusive com as batidas do coração. Essa é uma associação positiva de sono e pode ser utilizada à vontade, em um volume adequado à audição ainda sensível do bebê. Por volta dos 4 a 5 meses, o ruído branco não costuma mais fazer efeito.

Contenção e tapinhas no bumbum

Quando o *swaddle* ou charutinho não mais funciona, é necessário uma outra estratégia para que o bebê possa se concentrar, relaxar e ser conduzido ao sono. Após cerca de 4 a 5 meses o bebê já começa a conseguir se virar e querer explorar o mundo ao redor. Para auxiliá-lo no sono, devemos criar as condições para isso. Ao colocar seu bebê sonolento, mas ainda acordado, no berço, vire-o de lado, de costas para você para que ele não se distraia com a sua presença. Desligue totalmente a luz do quarto. Com uma mão, segure gentilmente e suavemente os bracinhos cruzados na altura do peito. Com a outra mão, dê tapinhas muito leves no bumbum, apenas para induzir um balanço, um movimento rítmico quase hipnótico. Com a boca ou utilizando um ruído branco, faça o *Shhhhh*. Atente-se que isso deve ocorrer de forma absolutamente gentil, respeitosa, suave e amorosa. Ao passar de alguns minutos, o bebê vai relaxando. Você perceberá que a respiração do bebê fica mais lenta e ele se acalma. Diminua os tapinhas até parar por mais alguns minutos. Passado algum tempo, retire suavemente a mão da contenção. Seu bebê já deve ter dormido a essa altura. Você vai notar que, com o passar do tempo, o bebê precisará cada vez menos desse apoio e muitas vezes só de colocá-lo na posição deitada e realizar a contenção por alguns minutos já será suficiente. Essa técnica pode funcionar até os 24 meses, mas o objetivo é que seu bebê aprenda a dormir sozinho muito antes disso.

Comandos e bebê que ficam em pé na grade do berço

Bebês podem ainda não entender o que as nossas palavras significam. Mas entendem desde muito cedo nossas expressões faciais e corporais e a entonação da nossa voz. Para o bebê que já é maior, consegue se levantar e ficar em pé na grade do berço, alguns até começam até a andar antes de 1 ano, a utilização de comandos pode ser bem eficaz.

Com entonação firme, mas gentil, frases diretas como "É hora de dormir", "Deita para dormir" e "Vamos dormir" auxiliam o bebê a entender que não é horário da brincadeira e da diversão e sim, de dormir. Essa técnica deve ser utilizada em conjunto com uma limitação do acesso à grade do berço e à condução do bebê para o ato de deitar, afinal, ele ainda está aprendendo que para dormir precisa primeiro deitar. Para isso, coloque o bebê sentado no berço, dê um comando direto e aponte ou dê uma batidinha no colchão do berço para indicar que o bebê deve deitar para dormir. Ele não vai entender nas primeiras vezes. Quando ele tentar alcançar a grade, coloque o dorso da sua mão entre o bebê e a grade e diga novamente o comando. Esse sinal com a mão será entendido como uma expressão corporal de limite. Faça o mesmo se ele tentar alcançar as laterais do berço. Se ele tentar alcançar o lado oposto ao que você está, sente-o novamente, dê o comando claro e o auxilie a deitar para que possa aplicar a estratégia de contenção e tapinhas no bumbum. É necessário bastante paciência e muita persistência nesse ponto.

O aprendizado se dá em diversos níveis. O bebê precisa aprender a relação entre ser capaz de deitar sozinho para dormir e parar de tentar alcançar a grade do berço. Aprender que comandos simples, porém diretos e firmes, significam que não é hora de brincar. Você terá que encontrar o caminho da gentileza e da empatia para auxiliar seu filho nesse ponto. Assim como dito anteriormente, há diversos cursos e consultorias especializados nesse processo e se aprofundar nos estudos e métodos é benéfico, se for necessário.

Desmame noturno

O desmame noturno pode acontecer naturalmente após os 4 meses de vida. Com uma alimentação adequada durante o dia, é biologicamente e fisiologicamente possível que o bebê passe a noite em jejum, como nós adultos. Porém, a maioria dos bebês necessita de condução também nesse processo. Após a alimentação de sólidos consolidada, por volta dos 7 ou 8 meses e em alinhamento com o Pediatra, é possível realizar o desmame noturno gentil e gradual. Pode ser que durante o desmame, o bebê, mesmo sem a necessidade de se alimentar, acorde por hábito e é aí que devem entrar as estratégias para que o sono seja retomado. O desmame noturno independe de a alimentação ser no peito ou na mamadeira. Caso você opte por esse caminho, a estratégia é diminuir o tempo da mamada ou a quantidade de leite na mamadeira, um pouco a cada dia. Em média, em alguns dias, o desmame é concluído. Como se trata de uma mudança de comportamento, pode haver choro. Esteja presente para suportar emocionalmente e fisicamente seu filho nessa transição. Entretanto, realizar o desmame noturno não é uma garantia que o bebê vai dormir a noite toda. Se houver outras associações negativas de sono, elas também terão que ser trabalhadas.

Bebês madrugadores

Alguns bebês realmente acordam para o dia quando galo canta. É absolutamente normal o bebê acordar às cinco da manhã e alguns deles até evacuam, pois a produção de melatonina já chegou ao fim. Alguns mamam e dormem novamente e acordam entre seis e oito horas. Mas alguns são madrugadores e acordam para começar o dia. É sempre válido tentar alguma das estratégias para prolongar o sono. Porém, caso sua intenção não seja fazer cama compartilhada, não o leve para sua cama após esse horário. Isso pode gerar uma associação negativa em que fará o bebê acordar cada vez mais cedo para ir à sua cama.

Cama compartilhada é uma escolha e caso seja o desejo seguir esse caminho, se informe sobre a prática e qual a maneira de fazê-la com segurança. Para os demais madrugadores, alguns também ficam quietos, porém acordados no berço por mais um tempo. Pode ser que você esteja dormindo e nem perceba, e isso acontece quando ele reconhece o quarto e o berço como espaços seguros e familiares para permanecer. Por volta de 1 ano, por amadurecimento neurológico, biológico e fisiológico, esse despertar tende a diminuir e a criança acordar um pouco mais tarde.

Dicas preciosas

Existem algumas dicas adicionais que podem ajudar no processo de condução do sono. Segue uma seleção de dicas preciosas das mães da rede Materneasy:

- Não troque a fralda durante a noite a menos que seja absolutamente necessário (por exemplo em caso de fezes ou vazamento). Fraldas de boa qualidade são projetadas para durar a noite toda e manter o bebê seco. Assaduras podem ser prevenidas por pomadas e cremes antiassaduras de qualidade. Alguns bebês despertam muito e se agitam no processo de troca de fralda, o que pode dificultar a retomada do sono.
- Se optou por oferecer a chupeta, ela pode, em alguns casos, se tornar uma associação negativa. Na maioria deles, ao dormir e relaxar o maxilar, a chupeta vai cair da boca naturalmente. Se o bebê entrar em sono profundo com a chupeta na boca e ainda não consiga colocar de volta sozinho, ele pode despertar para que você faça isso por ele. Nesse caso, se possível, retire a chupeta da boca do bebê entre dez e vinte minutos após ele ter dormido, isso poderá auxiliar a não formar a associação. Se o

seu bebê despertar, coloque a chupeta na mãozinha dele para que ele leve a boca. Com cerca de 7 meses ele já será capaz de pegar a chupeta no berço e colocar na boca. Espalhe algumas no colchão durante a noite.

- O mínimo ponto de luz pode interferir na qualidade do sono e pode ter sua luminosidade ampliada caso o quarto esteja totalmente escuro. Para evitar isso, cubra com fita isolante todas as possíveis luzes do quarto do bebê, como por exemplo a da babá eletrônica. Se possuir ar-condicionado, o visor geralmente pode ser desligado por meio do controle remoto. Luminosidade interrompe a produção de melatonina e o bebê não tem medo do escuro. Nascemos apenas com dois medos inatos: o medo de cair e o medo de barulhos altos. Todos os demais medos são aprendidos.

Apesar de todo o conteúdo apresentado, toda a teoria e estratégia, o processo de condução do sono vai depender da sua postura, de transmitir segurança ao bebê, do conhecimento dos sinais e janela de sono e do comportamento do seu filho. Serão necessários ajustes à medida que os meses vão passando e as janelas de sono e número de sonecas vão diminuindo e este será um processo em evolução até que por volta dos 3 anos a criança atinja o padrão de sono que ela terá na vida adulta. Muitos adultos que hoje enfrentam problemas para dormir – e talvez você seja um deles – carecem exatamente de rotina, higiene do sono e ignoram seus próprios sinais para dormir e descansar. Assim como vai se esforçar para que a criança tenha uma alimentação e uma educação adequada, faça o mesmo para o sono. Os benefícios serão para a vida toda, tanto a dele quando a de vocês.

Marcos de desenvolvimento

Você acompanha o progresso do seu filho muito antes do seu nascimento. Sabe todo o processo de formação do bebê na sua barriga. Agora seu bebê nasceu e você continuará assistindo de camarote a toda evolução do seu pequeno, enfim, junto de você.

Os marcos de desenvolvimento nada mais são do que os progressos que o bebê vai adquirindo ao longo do tempo. São medidas que caracterizam determinadas fases da infância e devem ser levadas em consideração como critério para distinguir entre um desenvolvimento típico e um desenvolvimento atípico, ou, ainda, para observar e acompanhar atrasos no desenvolvimento infantil.

Por isso, é muito importante a observação do seu filho e o acompanhamento mensal do pediatra. Cada criança tem o seu tempo para desenvolver novas habilidades. Os marcos são apenas referências usadas para a observação dos pais e do pediatra.

As tabelas utilizadas para a análise dos marcos não é uma tabela de regras em que toda a criança deve se encaixar e não significa que as que estiverem fora possuem algum problema. Outro ponto importante: mamães, os marcos de desenvolvimentos não devem ser utilizados para comparações. Cada criança é única e tem o seu próprio ritmo de crescimento e desenvolvimento. Se identificou algum atraso no desenvolvimento da criança, converse com o seu pediatra, busque ajuda especializada.

É provável que durante algum marco de desenvolvimento do bebê ele adquira comportamentos que fogem do padrão como dificuldades para dormir, aumento dos despertares noturnos, irritabilidade, choro sem motivo aparente, alterações no apetite, dentre outros. Caso isso aconteça, não se desespere. Mantenha a rotina do bebê. Ofereça carinho, conforto, colo, mas não fuja da rotina, não mude seu comportamento diante das situações. Rotina é a peça chave para superar todos os desafios da maternidade.

Vamos destacar aqui um ponto que não faz parte da tabela de marcos do desenvolvimento do bebê, mas que pode impactar na rotina: o nascimento dos dentes. O início da dentição ocorre por volta dos 6 meses, podendo acontecer antes ou depois. É importa procurar um odontopediatra, dentista que vai cuidar dos dentinho: seu bebê, antes do início da dentição para que ele passe orientações sobre o cuidado com a saúde bucal o mais cedo possível.

A salivação excessiva, agitação, acompanhado ou não por dor pode ocorrer um ou dois meses antes de o dente rasgar a gengiva. Nesta fase, o bebê coloca mais a mão ou objetos na boca, ficam irritados, pode haver alteração do padrão de sono, um pouco de diarreia e mexem também bastante no ouvido.

Para amenizar a dor e a agitação, dê mordedores gelados, faça massagem com os seus dedos. Caso seu bebê já se alimente, dê frutinhas geladas, e se ainda estiver apenas mamando, faça gelinhos com o leite materno ou com a fórmula que o seu bebê utiliza.

Aqui reforçamos novamente a importância da rotina. Seja forte e tenha paciência.

Nos anexos no final do livro, você encontrará uma tabela com os marcos de desenvolvimento esperados para seu bebê em cada idade.

Estimulando e brincando com o bebê

O primeiro ano de vida do bebê é repleto de mudanças. Os bebês nascem com uma curiosidade natural sobre o mundo e o desejo de explorar tudo que está ao redor. Eles sentem necessidade de pegar e sentir tudo. E assim, vão aprendendo sobre texturas, cheiros, sabores.

No módulo do planejamento da casa falamos de ter em sua residência um espaço para brincar com o seu bebê. Chegou a hora de usá-lo. Você passará boa parte do tempo sentada em um tapete infantil, observando e admirando o seu pequeno descobrir o mundo.

O estímulo ao bebê começa desde os primeiros meses de vida. Que tal separar um tempinho com seu bebê para brincar e estimulá-lo? É muito importante que você dedique um tempo para isso. Interaja com o seu bebê. Mesmo nos primeiros meses de vida, onde o bebê passará muitas horas dormindo, é importante que no tempo acordado você estimule e brinque com ele. Converse, cante, imite sons, faça caretas. Coloque músicas para o seu bebê escutar.

Coloque o bebê de bruços, o famoso *tummy time*. O *tummy time* ajudará a preparar os pequeninos para importantes marcos de desenvolvimento, como engatinhar, sentar e andar. Ele ajuda a fortalecer os músculos do pescoço e abdome, pernas e braços. Coloque brinquedos em volta para que o bebê tente pegar. Pegue um chocalho e faça barulho para que ele vire a cabeça em direção ao som.

Posicione o bebê diante do espelho. Por mais que ele não se reconheça, ele vai adorar brincar com aquela imagem.

Brinque de *Peek-A-Boo*, ou o famoso "Achou!" com o seu bebê. Tampe o rosto com as mãos ou uma toalhinha, tire-a e fale: "achou!".

Essa brincadeira ajudará também o bebê a superar aquela fase da angústia da separação.

Faça a cesta dos tesouros para o seu bebê. Coloque objetos de diferentes tamanhos, materiais e texturas dentro de uma caixa e deixe seu bebê brincar.

Leia para o seu filho, conte histórias. Bebês adoram coisas com rimas ou simplesmente ouvir o som da sua voz.

À medida que seu bebê for se desenvolvendo e ficando mais firme, coloque-o sentado, cercado por almofadas.

Brinque de "Vou te pegar". Diga "Vou te pegar" e finja que vai morder a mãozinha, pezinho ou barriguinha do seu bebê. Ele vai adorar!

Utilize brinquedos adequados para a idade do bebê. Brinquedos musicais, livrinhos de pano ou plástico, livros com texturas, brinquedos de encaixe, dentre outros são uma ótima escolha para seu bebê se divertir. Mordedores são muito úteis para a fase oral e para quando os dentinhos começam a apontar. Invista também naqueles mordedores que podem ser congelados. Seu bebê vai adorar o mordedor geladinho para aliviar o desconforto dos dentes.

Uma boa opção e superdica das mamães da rede Materneasy: alugue! Vários brinquedos são utilizados para uma determinada faixa etária ou peso, por um tempo muito curto e atendem apenas a uma pequena fase de desenvolvimento do bebê. Além de ocupar muito espaço e ter um custo elevado para adquirir. Pesquise em sua cidade e verifique as opções de brinquedos para alugar, assim, você poderá ter mensalmente em casa brinquedos adequados à fase em que seu bebê se encontra. As empresas especializadas em aluguel de brinquedos para bebês têm processos rigorosos de higienização, geralmente entregam por delivery e podem te auxiliar a escolher o brinquedo ideal.

Seja criativa! O importante aqui é o bebê se movimentar, ser estimulado e se divertir.

Introdução alimentar – a teoria

Os primeiros mil dias de vida são determinantes para o futuro do bebê. É nesse período, que vai da gravidez até o final dos 2 anos de vida, que a criança mais vai se desenvolver, tanto física quanto intelectualmente. E nele que nossas escolhas mais têm impacto. Os hábitos na primeira infância têm a possibilidade de alterar a expressão de genes importantes, como o da diabetes, pressão alta e obesidade. E o hábito mais significativo é, sem dúvida, a alimentação.

A espera por este momento, introduzir novos alimentos, deixa os cuidadores ansiosos e perdidos, mas aqui a mensagem é a mesma que permeou todos os desafios até agora: tenha paciência e tranquilidade para iniciar este momento tão importante para você e seu bebê.

Vamos auxiliá-la neste módulo a conduzir a introdução alimentar de uma forma leve. Transmitiremos informações e dicas baseadas na experiência das mamães da rede Materneasy que irão, certamente, ajudá-la neste mais novo desafio da maternidade: a introdução alimentar.

Quando começar?

A recomendação do Ministério da Saúde e da Sociedade Brasileira de Pediatria é iniciar a introdução de novos alimentos a partir dos

6 meses. É a partir dessa idade que a maioria dos bebês atinge a maturação dos órgãos, principalmente do sistema digestivo e renal.

Além da idade, o bebê deve estar pronto para a introdução alimentar e não somente a mãe. Ele deve apresentar os sinais de prontidão, que indicam que o bebê está preparado para se alimentar de outros alimentos além do leite, como:

- Controle da cervical.
- Sentar-se sem ou com o mínimo de apoio.
- Diminuição do reflexo de protrusão da língua.
- Demonstrar interesse na comida.
- Levar a mão ou objetos à boca.

A oferta de água para lactentes com aleitamento materno exclusivo deve iniciar-se, também, aos 6 meses. Caso a criança utilize fórmulas, o consumo de água pode ser avaliado pelo pediatra, em função do clima, temperatura, diurese, perdas de água por sudorese, febre ou qualquer outra situação individual. Mantenha sempre o contato com o seu pediatra para esclarecimento das dúvidas.

É muito comum o desespero e a angústia das mães que precisam retornar ao trabalho antes dos 6 meses do bebê. Por isso, esperar a introdução alimentar aos 6 meses pode não ser uma opção possível para esta mãe. Converse com o seu pediatra, explique a sua situação e em conjunto com ele, avalie a melhor opção para o seu bebê. O importante é seu bebê se alimentar.

Principais métodos para introdução alimentar

Há diversos métodos para a introdução de novos alimentos, sendo eles de atuação mais ativa ou passiva da criança. Vamos citar aqui os principais métodos e suas características.

Tradicional

O método tradicional é o mais popular. Consiste em amassar os alimentos com o garfo e oferecê-los em forma pastosa ao bebê.

É comum fazer o famoso sopão do bebê, misturando todos os grupos alimentares, mas nesse método também pode separar os alimentos e oferecer de forma isolada para que o bebê sinta diferentes sabores e texturas.

BLW

A sigla vem do inglês *Baby-led weaning*, traduzindo: desmame guiado pelo bebê. Esse método proporciona maior autonomia e consiste em oferecer alimentos em pedaços para o bebê de modo que ele mesmo se alimente de acordo com a sua curiosidade, apetite e interesse.

Caso resolva fazer este método, é necessário se atentar ao cozimento dos alimentos e estudar os cortes mais adequados para que não exponha o seu bebê ao risco. Falaremos mais adiante sobre os cortes seguros.

Bliss

A sigla significa *Baby Led Introduction to Solids*, introdução de sólidos guiada pelo bebê em português. O Bliss é basicamente o BLW, porém é baseado em uma série de recomendações quanto à preparação e à oferta do alimento com o objetivo de aumentar a absorção de ferro e outros nutrientes, além de reduzir os riscos de falhas no crescimento.

Participativa

O método participativo nada mais é do que o BLW ou Bliss associado ao método tradicional. Ou seja, ao mesmo tempo em que você oferece o alimento em pedaço para o bebê, é oferecido também o alimento na colher.

Mas então, qual é o melhor método e qual devo escolher? Não existe melhor método, o melhor método é aquele que o seu bebê escolhe, contudo é importante também conciliar o método de escolha do bebê com os hábitos e rotina da família.

Nossa dica aqui é: teste! Ofereça os alimentos de várias maneiras e veja a adaptação tanto sua quanto do bebê.

Aspectos comportamentais na introdução alimentar

As práticas alimentares são aprendidas na infância, dessa forma, os grandes influenciadores do comportamento alimentar da criança são determinados, principalmente pelo pai, pela mãe e pela família.

Os cuidadores são os modelos, é eles quem vão definir os alimentos disponíveis em quantidade e qualidade para a criança. O que a criança come, onde ela come e com quem ela come é determinado por vocês. A criança aprende com exemplos. Tente não oferecer estímulos errados e criar associações negativas nos horários das refeições. Evite a TV e brinquedos, pois eles tiram o foco dos alimentos e do momento da refeição. Evite brigas e discussões na hora das refeições. Estimule o bebê e converse sobre o alimento. Deixe a atenção voltada toda para ele neste momento.

Utilize o cadeirão ou cadeiras portáteis para alimentar o seu filho e leve-o para perto da mesa. Associar o cadeirão à hora da refeição é positivo e auxilia no entendimento dos rituais, assim como a relação entre o berço e o sono.

Já mencionamos em outro módulo sobre a importância da rotina e aqui gostaríamos, mais uma vez, de reforçar. Rotina é necessário e é importante. É necessário ter uma rotina preestabelecida, ensinar o seu bebê que assim como existem horários para brincar, para dormir, existem horários estabelecidos para as refeições. E siga esses horários. É assim que o seu bebê vai aprender, o famoso aprendizado por repetição.

Nesta fase de introdução alimentar é muito importante a família se unir para ajudar nesse processo. Alinhe a expectativa de todos. É um processo lento e gradual. Tenha paciência que tudo dará certo.

Sinais de fome e saciedade

Aprender a interpretar os sinais do seu filho é um papel dos cuidadores desde que o bebê nasce. E aqui não é diferente. Segue os principais sinais de fome e de saciedade demonstrados pelos bebês:

- **Sinais de fome:** o bebê inclina a cabeça para a frente quando a colher está próxima, segura a mão da pessoa que está oferecendo a comida e abre a boca, pega ou aponta para o alimento, fica feliz ao ver o alimento.

- **Sinais de saciedade:** o bebê vira a cabeça ou o corpo, perde interesse pelo alimento, empurra o prato com a mão, fecha a boca, faz o movimento de retrovisor na bandeja do cadeirão, joga o alimento longe, fica angustiado se você não o tira da cadeira e, por fim, começa a chorar.

GAG e engasgo, você sabe o que é e como diferenciar?

A introdução alimentar é uma fase delicada e é normal que os cuidadores se sintam apreensivos com o mundo de informações que existem. O medo de o bebê engasgar nesta fase é muito comum e é importante que saibam como agir neste momento. É importante saber que o engasgo não é algo que acontece toda hora. O que acontece com a maioria dos bebês é o reflexo de GAG. Vamos diferenciá-los?

Engasgo

Engasgo é o bloqueio da traqueia por algum corpo estranho, que pode ser alimento, bebida, objeto, dentre outros. Nessa situação é necessário realizar uma intervenção chamada Manobra de Heimlich. É muito importante toda a família ser orientada a realizar essa manobra. Se orientar e aprender a realiza-la não quer dizer que ocorrerá com o seu filho. Mas, caso ocorra, evita que evolua para algo mais grave.

Não deixe de se informar é sempre necessário estar preparado para lidar com situações emergenciais.

Reflexo de GAG

O reflexo de GAG é um mecanismo de defesa do nosso corpo para que o alimento volte para a boca. O GAG, na verdade, é um reflexo protetor e evita o engasgo. É caracterizado pela ocorrência de tosse e sensação de ânsia de vômito. Geralmente os bebês tendem a devolver o pedaço de alimento causador do GAG, e logo em seguida agem como se nada tivesse acontecido. O importante neste momento é manter a calma e passar segurança para o seu bebê.

Importante: o reflexo de GAG não é exclusivo do BLW ou BLISS, como largamente difundido. Ele pode ocorrer em todas as abordagens de introdução alimentar. Confie no seu bebê.

Neste módulo vimos os principais conceitos e fatores importantes para levar em consideração no início da introdução alimentar. Vamos agora para a parte prática?

Introdução alimentar – a prática

Vimos os principais pontos teóricos que envolvem a fase da introdução alimentar.

Agora é colocar a mão na massa e começar a apresentar a riqueza da alimentação para seu bebê. Você vai bancar o Masterchef Baby em breve, mas antes de falar dos alimentos em si, como tudo na vida, temos que nos organizar e planejar para que você possa iniciar com chave de ouro esta fase tão importante na vida do seu bebê e da sua família.

Enxoval da introdução alimentar

Preparamos para vocês uma lista de itens necessários para iniciar a introdução alimentar. Para iniciarmos esta etapa, precisamos de instrumentos de trabalho que nos permitam começar da melhor forma, não é mesmo?

Alguns itens merecem cuidado e atenção na escolha. Vamos destacar os importantes a seguir:

Louças e talheres infantis

Pratos, bowls, copos e colheres são os itens mais utilizados. Existem inúmeros modelos no mercado e a escolha é bem pessoal. Existem modelos de plástico, silicone e inox.

As mães da rede Materneasy aconselham a compra de talheres de silicone por serem mais macios e abaulados evitando machucar a boca do bebê. Pratos com divisórias são ótimos para separar a comidinha do bebê, assim como os bowls são excelentes para dar as sopinhas. Pratos com ventosas são uma boa ideia também, principalmente quando seu bebê resolve que quer comer sozinho.

Pote térmico

O pote térmico é excelente para você levar a refeição do seu bebê já aquecida para quando fizer algum passeio. Assim não vai precisar preocupar se o local possui micro-ondas ou fogão para o aquecimento. Vale a pena o investimento.

Babadores

Prefira os babadores de silicone ou de plástico. Eles são mais fáceis de limpar. Babadores de pano demoram a secar e mancham. Tenha sempre babadores descartáveis na bolsa do bebê. São ótimos para usar nos passeios. Nem sempre o lugar que você vai tem local para limpar o babador.

Assentos exclusivos para a criança

Vale a pena investir em um assento exclusivo. A criança aprenderá que o assento é o lugar onde ela fará as refeições, além de proporcionar que os cuidadores mantenham o contato visual com a criança. Comprar um cadeirão pode ser uma tarefa um pouco mais difícil do que você imaginava. Existem inúmeros modelos no mercado, vamos dar aqui as principais informações para você levar em consideração na hora da compra.

Primeiro é necessário definir o modelo:

- **Modelo tradicional:** o famoso cadeirão. Possui uma bandeja maior que facilita na oferta do alimento, principalmente se for optar pelo método BLW ou BLISS. Porém, como é grande, é mais difícil transportar. Alguns possuem regulagem de altura para que seja utilizado como uma das cadeiras da mesa de jantar quando o bebê for maior.
- **Cadeira que se acopla à mesa:** é um assento que se encaixa na mesa. Permite que o bebê coma na mesma altura de todos, é leve e fácil de transportar, mas não possui bandeja.

- **Booster ou cadeira portátil:** são assentos que se prendem com cinto às cadeiras, elevando a criança. Assim como a cadeira que se acopla à mesa, esse modelo também é portátil, mas possui uma bandeja pequena.

Para qualquer um dos produtos que for escolher, deve-se prezar pela segurança. Procure sempre produtos com selo de qualidade do Inmetro. Busque por modelos que sejam fáceis de manusear, limpar e de tirar a criança em caso de alguma emergência. O ideal é conhecer o modelo em lojas físicas, levar o seu bebê e experimentar.

Itens de plástico

Para qualquer item de plástico que for adquirir, sejam pratos, talheres ou potes para armazenar, é necessário ter atenção e verificar se o produto não contém bisfenol A, portanto, seja BPA Free. O BPA é uma molécula muito instável que pode migrar para os alimentos com mudanças na temperatura ou danos na embalagem. Então fique de olho e compre apenas itens BPA Free. Os produtos BPA Free são sempre identificados no rótulo ou na própria embalagem. Fique atento.

Confira no anexo no fim do livro a listagem completa dos itens que auxiliam neste momento e caso seja necessário acrescentar mais itens desejados, fique à vontade.

Organização e planejamento

O sucesso para uma introdução alimentar eficiente é o planejamento. Se você consegue se organizar, evita que falte ingredientes, mantém o cardápio diversificado, otimiza a produção das refeições, e, claro, gasta menos tempo.

Mas como fazer isso? Vamos recorrer aqui à velha e boa lista.

Em primeiro lugar: organize o cardápio. Materialize o cardápio da semana.

Com o cardápio em mãos, crie a lista de compras. Se você a possui em mãos, acaba por otimizar seu tempo no supermercado, sacolão e açougue. Além disso, ajuda a fazer compras mais conscientes, evitando o desperdício.

Uma dica aqui é comprar alimentos menores e sempre que possível preferir os alimentos orgânicos. Para bebês que estão iniciando, as proteínas como carnes de boi, frango e porco, peça no açougue para moerem pelo menos duas vezes.

Delegue funções. Não se sobrecarregue. Conte com ajuda da sua rede de apoio e, claro, de supermercados on-line que fazem entregas ou de empresas de papinhas naturais para bebês, busque uma em sua cidade.

A organização e planejamento devem ser feitos não só para o preparo das refeições como também para os passeios e viagens. Vai sair de casa? Leve sempre a fruta e refeição do seu filho. Caso for fazer uma viagem mais longa, confira se o hotel possui geladeira ou freezer para você armazenar. Para a conservação dos alimentos, quando fizer uma viagem mais longa, utilize o gelo seco.

Agora com o cardápio planejado e todos os itens necessários disponíveis é hora de organizar a preparação das papinhas.

Quantas refeições meu bebê precisa fazer?

Antes de iniciar este tópico, gostaríamos de reforçar que antes de qualquer coisa, é importante conversar com o seu pediatra. É esse profissional que acompanha mensalmente o seu bebê e está por dentro de toda a evolução e todos os marcos de desenvolvimento dele. Siga sempre a sua orientação. Converse também com uma nutricionista materno-infantil, se desejar um atendimento ainda mais especializado.

Já mencionamos que o processo de introdução alimentar é lento e gradual. É necessário iniciar com calma a introdução dos alimentos. Lembre-se de que o seu bebê até o momento só conhece um sabor e uma textura: o leite (seja ele o leite materno ou a fórmula).

Costuma-se iniciar a introdução das refeições por semana, até que ao final de quatro semanas ele já estará fazendo as quatro refeições principais, que são: fruta da manhã, almoço, fruta da tarde e jantar.

Atenção! Lembrando que o leite materno ou a fórmula ainda é o principal alimento da criança até 1 ano de vida.

Você pode escolher a refeição que deseja iniciar, seja pela fruta, seja pelo almoço ou jantar. Não importa qual refeição vai iniciar, mas mantenha sempre a constância dessa refeição. A partir do momento que ofereceu o alimento em uma determinada refeição, não pare.

Vamos a um exemplo prático?

- Semana 1 – Almoço
- Semana 2 – Almoço + Fruta da tarde
- Semana 3 – Almoço + Fruta da manhã + Fruta da tarde
- Semana 4 – Almoço + Fruta da manhã + Fruta da tarde + Jantar

O padrão do cardápio da semana 4 é o padrão que será levado adiante até o bebê completar 1 ano de idade, quando ele começa a comer a comida da família.

O que deve ter nas refeições do bebê?

Existem de modo geral cinco grupos de alimentos essenciais que não podem faltar no pratinho do bebê:

1. **Cereais, raízes e tubérculos:** arroz, macarrão, batata-inglesa, batata-doce, mandioca.
2. **Leguminosas:** feijão, lentilha, ervilha, grão de bico.
3. **Proteínas:** carne de boi, frango, peixe, ovos, porco.
4. **Hortaliças:** representados pelos legumes e verduras. Vamos dividir aqui em dois grupos:
    a. **Hortaliças verdes:** chuchu, brócolis, couve, abobrinha, espinafre.
    b. **Hortaliças coloridas:** cenoura, beterraba, couve-flor.
5. **Gorduras:** óleo de soja, óleo de coco, azeite.

O ideal é que todo o pratinho tenha pelo menos um representante de cada grupo. Mas como oferecer? Juntos? Separados? A escolha é sua!

Oferecer tudo separadinho faz com que o bebê conheça o alimento individualmente, seu sabor, sua textura.

É totalmente compreensível também que se misture tudo. Faça da forma que adapte melhor para você e para o seu bebê, pode inclusive alterar as apresentações. Durante a semana, se for mais prático na correria do dia a dia, ofereça tudo junto. No fim de semana, com mais tempo, ofereça separado e dedique um tempo maior ao momento da refeição para o bebê explorar mais os alimentos.

Converse com o pediatra sobre a introdução de alimentos ditos alergênicos, aproveitando a janela imunológica da criança, ou seja, o período em que a criança deve ser exposta a estes tipos de alimentos, para reduzir a chance de alergias no futuro. Se houver histórico de alergia alimentar ou dermatite atópica na família, principalmente se um dos pais apresentar, é importante consultar um especialista antes de iniciar a introdução alimentar.

Consistência dos alimentos

A consistência dos alimentos vai depender do método escolhido para a introdução alimentar.

Caso opte pelo método tradicional, a consistência deve ir evoluindo com o bebê, ou seja, inicialmente, deve-se oferecer a refeição amassada (lembre-se de que não se deve liquidificar ou peneirar os alimentos). Caso fique muito seco o alimento amassado, acrescente um pouquinho de água, azeite ou até mesmo o próprio leite do bebê, para que ele possa ficar mais cremoso. À medida que o bebê se desenvolve, deve-se evoluir até chegar na consistência sólida. Com 1 ano, o bebê já deve estar pronto para comer a refeição da família.

Se escolher pelo método BLW, por exemplo, aprenda a fazer os cortes seguros (pesquise imagens e técnicas). No início, o bebê pega os alimentos com o punho fechado, por isso, é importante que os alimentos sejam oferecidos em forma de palitos, cujo tamanho seja maior que a mão do bebê. Quando ele desenvolve o movimento de pinça, ele consegue pegar os alimentos com cortes menores.

Processo e preparo das refeições

Agora que já sabemos o que deve ter nas refeições do seu bebê, vamos iniciar o preparo. Reforçamos aqui a importância de inserir um cardápio com itens diferentes a cada dia, assim seu bebê vai experimentar vários alimentos já na primeira semana. A refeição do almoço pode ser diferente da refeição do jantar, caso seja possível para você.

Para facilitar a organização, porcione as verduras e legumes em saquinhos para cada refeição. Coloque as proteínas em cubos de gelo pequenos e congele. Cada cubinho pequeno do grupo alimentar é a conta de uma refeição.

Na hora de cozinhar, basta retirar esse saquinho da geladeira, picar e cozinhar. Se for necessário porcionar, acondicione no papel filme o alimento cru.

Existem basicamente três formas de cozinhar os alimentos:

- **Na água:** a maneira mais tradicional. Aqui a melhor opção é iniciar com pouca água e deixá-la secar antes de inserir mais, para que evite a perda dos nutrientes.
- **No vapor:** nesta forma temos uma maior preservação dos nutrientes.
- **Na panela de pressão:** deste modo ganhamos tempo e agilidade no preparo, mas também pode se perder nutrientes para a água.

E por que não combinar dois métodos de cozimento e agilizar ainda mais a vida das mamães? As mamães da rede Materneasy chama este método de *"Papinha express"*. A papinha express pode ser feita em apenas cinco minutos, utilizando a panela de pressão e aqueles cestinhos de cozimento a vapor de inox. Na panela de pressão, coloque em torno de 2 xícaras de água, nesta água, coloque o arroz (aqui pode ser de 1-2 colheres de sopa), coloque a cestinha dentro da panela de pressão, insira os legumes e verduras escolhidos, a porção de proteína e a leguminosa. No caso do feijão ser a leguminosa escolhida, insira o mesmo dentro de um recipiente pequeno de inox com um pouquinho de água. Tampe a panela, coloque no fogão e após pegar a pressão, aguarde de 5-8 minutos. Pronto, simples não é?

Agora, se você não tem tempo para cozinhar, picar e separar os itens todos os dias, vamos ensinar um método que as mamães da rede Materneasy criaram para facilitar o seu dia a dia. Chamamos de Papinhas versão 1.0 (para bebês que estão iniciando e que comem tudo amassadinho) e Papinhas versão 2.0 (para bebês que já evoluíram a consistência ou estão em evolução).

Papinhas versão 1.0

Cozinhe bem as verduras e legumes. Cozinhe tudo separadinho e depois amasse com auxílio de um garfo ou de um espremedor de batatas.

Utilize forminhas de gelo, coloque os legumes amassados e, em seguida, congele.

Para as folhas, bata no liquidificador com um pouquinho de água, coloque nas forminhas de gelo, depois, no congelador.

Quando estiverem congelados, retire os cubinhos e coloque em saquinhos para que ocupem menos espaço. Não se esqueça de identificar o saquinho com o nome e data que foi cozido.

Para fazer as refeições, retire um quadradinho de cada grupo alimentar e aqueça. Aqui você tem a opção de fazer o famoso sopão ou dar os alimentos separados para o seu bebê. Você escolhe. Aumente a quantidade de quadradinhos de acordo com a resposta do bebê à quantidade de alimento. Ah! O aquecimento dos alimentos pode ser no micro-ondas. O micro-ondas também é seu amigo.

Papinhas versão 2.0

Pique as verduras e legumes em cubinhos e congele em saquinhos, ainda crus. Não se esqueça de identificar os saquinhos e inserir a data em que foi picado.

Para o preparo das refeições, retire apenas a quantidade desejada e cozinhe. Nessa versão, você pode deixar o alimento em quadradinhos e oferecer para o seu bebê, caso já tenha evoluído na consistência ou utilizar amassados, caso esteja no início.

Não se esqueça de colocar azeite ao final do preparo do almoço e jantar.

Pode e deve utilizar temperos naturais. Alho, cebola, orégano, cúrcuma, tomilho, faça combinações e deixe com um toque especial a comida do seu bebê.

Constipação e introdução alimentar

É comum o bebê apresentar intestino mais preso nas primeiras semanas de introdução alimentar. Se o seu bebê apresenta dor e dificuldade em evacuar, está com as fezes em formato de bolas e enrijecidas ou está mais de cinco dias sem evacuar ele pode estar constipado. Se isso ocorrer, aumente o consumo de água e ofereça alimentos mais laxativos.

Busque alternar alimentos laxativos e constipantes no dia a dia do bebê.

As mães da rede Materneasy têm uma dica para este momento: caso o bebê apresente dificuldade em evacuar, faça força, chore e não consiga, leve-o ao vaso. A posição pode ajudá-lo. Invista em um redutor de assento para inserir no vaso.

Qualquer desconforto maior, converse com o pediatra.

Alimentos proibidos e contraindicados

Os dois primeiros anos de vida da criança são muito importantes para a formação do paladar dela. Manter uma alimentação saudável para o seu filho contribuirá para a prevenção de inúmeras doenças, além de contribuir para a formação de um paladar rico.

Até 1 ano de idade, deve-se evitar o uso de sal. A criança não sente falta daquilo que não conhece, deixe que elas experimentem o alimento como ele é.

Leite de vaca também é recomendado somente após 1 ano de idade.

Sucos não são indicados para crianças até 1 ano. E, mesmo assim, após um ano o consumo deve ser restrito. Prefira sempre as frutas *in natura*.

Açúcar nem pensar, ok? Não incentive ou acelere este encontro até os 2 anos. Lembre-se de que falamos sobre os mil dias e como eles são determinantes para toda a vida.

O mel também deve ser evitado até os 2 anos de idade. Isto porque, além de conter açúcar, o mel pode alojar uma bactéria capaz de causar o botulismo. Como o intestino da criança até 2 anos não está completamente formado, pode causar problemas.

Qualquer dúvida, converse com o pediatra.

Dicas

Sim, o assunto introdução alimentar é enorme, com inúmeras informações e repleto de detalhes. É um momento que requer dedicação e carinho dos cuidadores. Vamos encerrar este módulo com algumas dicas essenciais para o sucesso desta etapa.

- Não crie expectativas. Nem sempre o seu filho vai comer o que você quer que ele coma nem a quantidade que você acha que ele deve comer.
- Deixe o bebê completar o movimento da colher, alcançando-a, em vez de você levar diretamente até a boca. Estimule chegando próximo, encostando nos lábios, mas deixe que o bebê complete o movimento abrindo a boca e alcançando a colher.
- Para oferecer a fórmula logo após as refeições, deve-se esperar um intervalo mínimo de quarenta minutos, para que o cálcio do leite não interfira na absorção do ferro da comida. Isto não acontece com o leite materno.
- Se possível, não ofereça o peito ou a fórmula entre as refeições.

- Adicione uma fonte de vitamina C junto às refeições principais, uma laranja por exemplo. A vitamina C aumenta a absorção de ferro.
- Deixe seu filho tocar nos alimentos, permita este contato dele com novas texturas, sabores e cores.
- Tolere a sujeira feita durante as refeições. Isso faz parte!
- Ofereça sempre uma diversidade de alimentos para o seu bebê. Claro, aquilo que é permitido para a idade dele. Não há frutas que são proibidas ou desaconselhadas. A Sociedade Brasileira de Pediatria preconiza em seu manual que "o tipo de fruta a ser oferecido deve respeitar características regionais, custo, estação do ano e presença de fibras".
- Prefira as frutas da estação, elas podem conter menos agrotóxicos. Se possível, dê preferência aos orgânicos.
- Tenha horários e siga à risca.
- Se o seu bebê mama no peito e chora quando você oferece o alimento para ele, tente que outra pessoa ofereça. Ele pode estar sentindo o cheiro do leite e querer mamar. É normal que isto ocorra no início.
- Procure ajuda do seu pediatra e de nutricionistas para iniciar esta fase.
- E, por fim, não se esqueça da oferta de água ao bebê! Preferencialmente ao término das refeições.

MAMÃE e PAPAI

MAMÃE E PAPAI

Retorno ao trabalho

Seja a licença-maternidade de 120 ou 180 dias, o tempo nunca parecerá suficiente. Poderiam ser dois anos e ainda não seriam suficientes. Sair de casa para ficar fora por oito, nove, dez horas ou mais e deixar para trás seu bem mais precioso e que precisará de você por muitos anos ainda, não é tarefa fácil. Em primeiro lugar, se permita sentir. Se permita questionar se deseja retornar. Sua visão após o nascimento pode ter mudado. A questão financeira é certamente importante, mas a sua estabilidade emocional é mais. Pode ser que durante a licença você tenha iniciado um pequeno negócio e tenha se identificado com a flexibilidade que o empreendedorismo oferece. E pode ser que você tenha descoberto que, embora ame ser mãe, também ama sua carreira e quer continuá-la e vai seguir na busca do equilíbrio entre a vida pessoal e profissional. Não existe resposta certa, existe o que é melhor para você, o bebê e sua família. E é para você que vai voltar ao trabalho que gostaríamos de dar alguns insumos para tornar esse momento mais fácil.

Quem vai ficar com o bebê?

Na intenção de conseguir tentar ter um pouco mais de tranquilidade para voltar ao trabalho é essencial que o bebê fique aos cuidados de uma pessoa (ou mais de uma) que você confie plenamente e que esteja alinhada com seus princípios e o que definiu para a criação do bebê. Alguém que vai seguir a rotina estabelecida para o bebê, que vá entrar em contato caso necessário e que pedirá sua permissão antes de qualquer ação, como, por exemplo, dar uma medicação ao bebê. Essa comunicação, alinhamento e combinado são essenciais.

Se tiver optado pelo bebê ficar aos cuidados de um familiar, sejam os avós, tios ou padrinhos é importante realizar alguns planejamentos. Se possível, tenha mais de uma pessoa disponível para ficar com o bebê, caso o familiar designado não possa em algum dia. Ou deixe acordado com sua empresa que se isso ocorrer, você vai trabalhar em home office, quando isso for possível. Combine com a pessoa se a criança será cuidada em sua própria casa ou na casa do familiar. Se for esse o caso, tudo que o bebê necessita no dia deve ser enviado ou já estar na casa desta pessoa. Sejam roupas, itens de higiene, brinquedos e alimentação.

Se por impossibilidade de contar com um familiar a decisão for por uma babá, uma profissional no cuidado, é essencial buscar referências e indicações. Converse com as famílias anteriores, faça mais de uma entrevista com a profissional escolhida, passe alguns dias junto a ela, mas deixe-a a cargo do bebê, para garantir o alinhamento e calibrar a sua confiança. Também tenha um plano B caso em algum dia a babá não possa ir. Se possível, instale câmeras em casa que possam ser acessadas pela internet em tempo real. É sempre recomendável um cuidado extra.

Também é possível que a escolha seja uma escola, que dispõe de creche ou berçário. É altamente recomendável que você visite escolas ainda durante a gestação. Muitas escolas infantis, sejam elas públicas ou privadas, possuem lista de espera ou períodos específicos para matrícula. Observe o espaço da escola, converse com os profissionais, pergunte como é a rotina, pois possivelmente seu bebê seguirá os horários de refeições e atividades da escola, que pode ser um pouco diferente da rotina em casa. Verifique questões como higiene e segurança do ambiente, questione se os profissionais possuem curso de primeiros socorros, se a escola possui câmeras e qual a forma de comunicação com os cuidadores. Pergunte qual é a linha pedagógica seguida e quais atividades são feitas com os bebês. Muitas escolas oferecem atividades como aulas de música, motricidade, idiomas e artes mesmo para os bebês bem pequenos, para estimulação e auxílio no atingimento dos marcos. Mantenha sempre um diálogo com a escola para que troquem observações sobre o bebê, afinal, é lá que ele passará a maior parte do dia. Se optar por escola em apenas um turno e o bebê ficar aos cuidados de um familiar ou babá no outro, organize como será o transporte da criança entre esses lugares, para que seja realizado em segurança ou se organize para que você ou quem for ajudá-la possam fazer isso no horário do almoço. É possível, que pelo contato com outras crianças, seu bebê esteja mais propenso a adoecer mais frequentemente. Alguns resfriados a mais podem ser esperados. Converse com o pediatra sobre isso.

Prepare seu corpo e a alimentação do bebê

Caso amamente, é necessário preparar seu corpo para o retorno também. Seu peito vai encher nos horários habituais do bebê mamar e isso pode ser um incômodo se você estiver no trabalho. Se escolher por continuar a amamentação, se organize para isso. Verifique se a empresa possui um espaço próprio ou um que seja possível você retirar o leite ou amamentar, se levarem o bebê até você. Relembrando, é um direito da gestante dois períodos de meia hora cada para amamentação até o bebê completar 6 meses. Converse com seu gestor para substituir esses períodos por uma hora e sair mais cedo ou fazer um horário de almoço mais prolongado. Caso opte por retirar leite para o bebê, uma bomba elétrica pode auxiliar e tornar mais rápido o processo. Se for substituir as mamadas em sua ausência por fórmula, faça isso alguns dias antes de voltar, para que seu corpo também se acostume, e, se for nesse momento que a fórmula será introduzida pela primeira vez, converse com o pediatra e observe a resposta do bebê a isso. A maioria das consultoras de amamentação oferece em seus pacotes auxílio para organização dessa volta e se tiver contratado uma, converse sobre isso. Em caso negativo, se informe sobre armazenamento de leite materno, verifique o que vai precisar, como por exemplo vidros ou sacos plásticos próprios para leite e oriente o cuidador sobre o modo de preparo e oferta.

Caso além do leite, o bebê já tenha iniciado a introdução alimentar, planeje também a disponibilidade dos alimentos, combinação do cardápio e forma em que será oferecido de acordo com o(s) método(s) e processos que definiu para isso.

Organize a rotina da casa

Com o retorno ao trabalho, o tempo em casa ficará bem mais escasso. Se tiver ajuda, seja ela diária, semanal ou quinzenal, deixe acordado a frequência dos trabalhos, o que deve ser feito e verifique se há os insumos para isso (produtos de limpeza e para lavagem de roupas, por exemplo). Em termos de alimentação, verifique como serão feitas as compras de supermercado, se por você ou por seu ajudante ou até mesmo por delivery. Inclua em sua rotina um checklist semanal desses itens.

Organize a rotina do bebê

Para melhor adequar aos seus horários do trabalho, pode ser que a rotina do bebê tenha que ser ajustada. Talvez acordar mais cedo para ir à escola, ou almoçar meia horinha mais tarde para que você possa estar presente. Cada família possui sua própria realidade e desde que as necessidades do bebê continuem a ser atendidas, respeitando as janelas de sono e os intervalos para alimentação, após alguns dias de ajuste à nova rotina vai fixar.

Algumas dicas para a volta

Com planejamento, alinhamento com sua empresa e seu gestor imediato e tranquilidade de que organizou tudo o possível, o retorno ao trabalho deverá ser um pouco mais fácil. Seguem algumas dicas adicionais para ajudar neste processo.

- Volte aos poucos. Não cobre de si mesma no primeiro dia de retorno ao trabalho realizar seis reuniões, ligar para todos os clientes e colocar em dia meses de e-mail. Se permita ter um tempo para se organizar, estruturar e retomar aos poucos tudo. Alguns dias antes, faça de carro o itinerário até o trabalho, deixar e buscar o bebê e voltar para casa para ver o tempo de deslocamento que terá e que pode impactar na rotina do bebê.

- A despedida para sair para o trabalho é mais difícil para você do que para o bebê. Talvez seja bom treinar isso antes também e deixá-lo aos cuidados de outra pessoa algumas horas do dia. Transmita segurança ao seu filho na despedida para ele saber que você vai voltar.
- Utilize a tecnologia seu favor, mas sem exageros. Tenha um meio de comunicação instantâneo com a pessoa ou instituição que está cuidando do bebê, mas não transforme isso em um reality show que cada fralda de xixi deva ser avisada. Receber algumas fotos e vídeos no meio do dia é bom para matar a saudade, mas tente exercitar em você não depender de informações em tempo real a cada evento.

Seja você empreendedora, profissional ou dona de casa, você é a melhor mãe para o seu filho e será seu exemplo por meio de sua postura, segurança e atitudes. Sua nova profissão, a de mãe, é a carreira mais recompensadora que pode existir.

A importância da leitura

Ruth Rocha, umas das maiores escritoras de literatura infantil do país, com livros que fizeram parte da nossa infância e serão lidos por ou para

MAMÃE E PAPAI

os nossos filhos, certa vez citou que "*o processo de leitura possibilita essa operação maravilhosa que é o encontro do que está dentro do livro com o que está guardado na nossa cabeça*". É dela também a frase que diz "*Leitura, antes de mais nada é estímulo, é exemplo*". E isso ilustra bem a importância da leitura, seja para os pais, seja para o bebê. Ler para o bebê é tão importante, que você pode começar a fazer isso enquanto ele ainda está na sua barriga. A fala, o tom de voz, a melodia das palavras são também uma forma do bebê aprender a se relacionar com o mundo. Quando ele nascer, continue lendo, faça isso como parte da rotina. Com poucos meses ele já será capaz de interagir com livros de pano, de banho ou de papel mais firme e folhas cartonadas, para que ele mesmo passe as páginas. Deixe que ele sinta a textura, há livros do tipo "toque e sinta" específicos para isso. Interaja com o livro, imite sons de animais e mostre as cores, mostre objetos similares às gravuras e faça desse momento uma experiência rica que ultrapassa as páginas. Livros com histórias curtas, com rimas, são ideais para os primeiros meses e à medida que o bebê cresce, evolui também a literatura, com histórias para dormir, contos clássicos e histórias inventadas. Frequente livrarias e bibliotecas. Esses espaços possuem áreas dedicadas aos pequenos leitores e algumas realizam eventos como contação de histórias e oficinas de literatura. Cultive o amor pela leitura, pela imaginação, pelo pensamento e pela escrita desde bebê. A criança que seu filho vai se tornar depende bastante disso.

As mães da rede Materneasy prepararam uma seleção de publicações em que inúmeros tópicos deste livro foram baseados e que auxiliaram bastante em diversos momentos. O universo de obras sobre gestação, maternidade, paternidade, cuidados com o bebê e criação de filhos é muito mais amplo do que os exemplos abaixo e sinta-se à vontade para explorá-los. Segue abaixo uma pequena amostra:

Os long-sellers *O que esperar quando você está esperando* e *A vida do bebê* são clássicos e completos. Podem ser encarados como verdadeiros manuais para os dois primeiros anos de vida do bebê. Passaram no teste do tempo, são atualizados a cada edição com novas informações e orientações, e por isso continuam atemporais e relevantes.

Vez ou outra, alguns dos livros sobre essa temática alcançam a lista de mais vendidos. E isso aconteceu com a série "A encantadora de bebês", da enfermeira britânica Tracy Hogg – falecida em 2004 – mas cujos livros continuam a ajudar famílias em todo o mundo. Com métodos simples para coisas cotidianas como acalmar o bebê ou auxiliar no processo de condução do sono, a encantadora de bebês encanta também aos pais.

Falamos um bocado de sono por aqui e alguns livros são os favoritos das mães da rede Materneasy. Dois deles são *12 horas de sono com 12 semanas de vida* e *Nana Nenê* que trazem teoria e estratégias práticas para a condução de sono, de forma gradual e gentil, para que auxilie seu bebê a ter uma boa relação com o sono, nas sonecas e no sono noturno.

Há também espaço para uma visão bem-humorada do desafio da maternidade e da paternidade. *Eu era uma ótima mãe até ter filhos*, *Diário de um grávido* e *Como nascem os pais* chegam a ser hilários. Situações que no momento que são vividas podem parecer caóticas, como a fralda de cocô explosivo no shopping, mas que depois podem render bastante risadas. Ótimos para você e seu companheiro verem que não estão sozinhos.

Também há espaço para temas muito sérios. *A maternidade e o encontro com a própria sombra*, da psicoterapeuta Laura Gutman, relata as mudanças que a maternidade traz para a mulher. Uma visão mais profissional sobre os medos e as dificuldades da mãe e como a responsabilidade de trazer um filho ao mundo impacta na vida do casal. Um livro para reflexão.

A internet também rende boa literatura. *Mãe fora da caixa*, de Thaís Vilarinho, surgiu a partir de uma série de textos publicados em uma das redes sociais. É contemporâneo, é intenso mesmo com poucas palavras em cada texto e absolutamente identificável por qualquer mãe.

São alguns milhares de títulos nesse universo e não seria possível citar todos aqui. Há também livros guias de nomes, com o significado. Livros do bebê, para registros dos marcos desde o nascimento, com fotos e descrições e até mesmo livros com técnicas de massagens para bebês. Na próxima ida à livraria, dedique um tempo a seção de "Pais e Filhos". Olhe os livros, leia algumas orelhas e contracapas e certamente sairá de lá com algum título que identifica com você.

Entretenimento dos pais

Nem só de fraldas, mamadas e sonecas vivem os pais. É essencial para a saúde mental ter um momento para o entretenimento, para colocar os pés para cima no sofá e curtir um bom filme. Dar algumas risadas, chorar junto ou simplesmente refletir. Pode parecer difícil pensar que você terá tempo para filmes ou séries, mas, acredite, tudo se ajeita com rotina e um pouco de planejamento. Seguem algumas indicações das mães da rede Materneasy sobre séries e filmes desse nosso universo. Procure os títulos nas principais plataformas de streaming e de TVs por assinatura.

Na linha documentário, *O começo da vida (2016)* aborda a importância da primeira infância, da gestação aos 6 anos, com filmagem em nove países incluindo o Brasil. *A vida secreta dos bebês (Secret Life of babies, 2014)* realizado pela rede britânica BBC responde algumas das perguntas que fazemos quando observamos um bebê e suas peculiaridades. *Bebês em foco (Babies, 2020)* acompanhou quinze famílias de diversas partes do mundo por três anos. O resultado foi uma incrível amostra das aventuras transformadoras desde a chegada dos filhos. Mostra, também, em detalhes, e com uma visão científica, os principais marcos de desenvolvimento de um bebê.

Ser mãe seja nos anos 1950 ou no século 21 possuía seus desafios. Para ver os dois extremos, há séries para isso. *Call the Midwife (2012)* mostra a vida das parteiras na década de 1950, como os partos eram realizados e o que as gestantes e novas mães passavam. Evoluímos muito desde então e chegamos em *"Supermães" (Workin' Moms, 2017)* que acompanha o dia a dia de quatro novas mães que, com o fim da licença-maternidade, precisam voltar ao trabalho e conciliar filhos, carreira e a vida amorosa, enquanto vivem na agitada Toronto, no Canadá.

Aposto que já assistiu *Friends*. Por essa indicação você não esperava, hein? O que uma série de seis amigos em Nova York tem a ver com maternidade? Tudo! Ao longo das dez temporadas, *Friends* abordou a maternidade de diversas formas. Você já deve ter visto a série, mas recomendo que veja novamente com outro olhar. A gravidez de trigêmeos da Phoebe, Ross com seu filho bebê Ben, a gravidez de Rachel e mesmo a luta de Mônica e Chandler por não poder ter filhos biológicos são alguns dos temas abordados. Há episódios como *"Aquele com o Chá de Bebê"* ou *"Aquele do leite materno"* que se tornam especialmente hilários depois que você e seu companheiro se tornam pais.

Para dar algumas boas risadas, *O que esperar quando está esperando (What to Expect When You're Expecting, 2012)* tem o mesmo título do clássico livro que já falamos. O filme acompanha a vida de nove gestantes e mostra as situações engraçadas que toda mãe sempre vive, com uma pitada da visão paterna sobre os acontecimentos. *Juntos pelo acaso (Life as we know it, 2010)* mostra a história de Holly e Eric, que de uma hora para outra se veem pais da pequena Sophie, a afilhada que ficou órfã. Descobrindo como é cuidar de um bebê e se descobrindo como pais nesse processo, é um filme leve e divertido, mas também emocionante. *Não sei como ela consegue (I Don't Know How She Does it, 2011)* mostra a vida de Kate, uma mulher que precisa equilibrar a carreira profissional com os cuidados com a família. Qualquer semelhança entre a vida dela e a de vocês, que estão lendo este livro, não é mera coincidência.

Se o dia pede algo mais sério e para refletir, *Como nossos pais (2017)* é um filme brasileiro que narra um dos dilemas mais complexos e presentes: a busca pela perfeição. Rosa, a mãe do filme, busca conciliar o que acontece dentro e fora do lar, enquanto lida com a pressão de fazer tudo fluir bem. *Olmo e a gaivota (2014)* conta a história de Olivia, uma atriz que se prepara para encenar uma nova peça quando descobre que está grávida. Os nove meses da gestação, com todas suas inseguranças, medos e tédio são abordados sob uma atmosfera poética.

    Fazemos questão de divulgar também um projeto incrível e que já beneficiou diversas mães da rede Materneasy: o CineMaterna. Surgido em 2008, esse projeto realiza sessões de cinema específicas para mães com bebês até 18 meses em todo o Brasil. São sempre filmes adultos que estão em cartaz e a sessão possui som e luminosidade da tela mais baixa com o ar-condicionado regulado para uma temperatura mais amena. E o melhor: tem trocador e tudo que você precisa para o bebê logo embaixo da tela, para você não perder nada do filme. Você pode contar com a ajuda especial das "Pinks", o time de voluntárias que cuida desde o estacionamento de carrinhos até aquela mãozinha extra na troca de fraldas. Acesse o site e redes sociais do CineMaterna e veja quando terá alguma sessão em sua cidade. Depois do filme, sempre rola um bate-papo.

Um papo de homem pra homem

Ok, vamos lá. Dia de jogo. Seu time contra o rival estadual. Não é um dia para brincadeiras.

    Faltam cinco minutos pra acabar o segundo tempo, o meio de campo avançou com a bola e tocou para o atacante. Mas você algo notou algo na imagem transmitida na TV: a cabeça do seu atacante mais próximo da linha de meta adversária do que o penúltimo jogador. Só tinha um cara do outro time mais próximo do que o seu atacante. Você já sabia antes de o auxiliar levantar a bandeira: impedimento.

Essa regra tão complexa, que você conseguiu desvendar em segundos. Então, cara: um bebê não é mais complicado do que isso.

Eu sei que você está mais assustado agora do que toda a delegação brasileira na final da copa de 1998 depois da convulsão do Ronaldo. Também sei inclusive o que você deve estar pensando agora: que já era o futebol de domingo ou aquela pelada com o seus amigos. Mas não é assim. Você está prestes a entrar em campo para o mais importante jogo da sua vida. Vai durar muito mais do que noventa minutos e vai ter sabor de Mundial.

Esquece o que o seu pai te disse. A geração deles foi criada para só trabalhar. O mundo mudou e você também. Tenho certeza de que você leu este livro junto e que também tinha dúvidas. Sei que você quer mais do que ajudar ou participar, você quer ser pai. E eu tô aqui pra te falar isso. Fora o parto e amamentar, você pode fazer qualquer outra coisa. E se for mamadeira, faça o favor de dar.

Não tenha medo de dar banho, faça desse um momento de conexão com o bebê, ele não vai quebrar. Vão ter brincadeiras e gargalhadas que vão valer mais do que álbum de figurinhas completo. Ser mãe é pesado e quando não houver o que você possa fazer pelo bebê, faça por ela, faça para sua companheira. Um jantar quentinho, mesmo que seja pedido no delivery, uma casa com o aspirador passado e as roupas na lavadora. Pense que seu filho ou filha vai crescer vendo seus exemplos e precisa ser um adulto funcional que consegue sobreviver minimamente sozinho. Se você ainda não aprendeu a programar a máquina de lavar, garanto que não é mais difícil do que seu celular.

Pode parecer que nada, nunca mais, vai ser como antes; e é porque não vai mesmo. Vai ser melhor, vai ser diferente, vai ser cheio de cores e algumas peças de Lego para você pisar no tapete no futuro. Vai ser intenso como a final da Libertadores, vai ser mais desafiador do que eliminatória da Copa, mas vai valer cada minuto de jogo, dos acréscimos e por aí vai. Se quiser repetir o gesto do Bebeto quando fizer um gol na próxima pelada para anunciar a gravidez para os amigos pode, tá liberado!

CONCLUSÃO

Se você chegou até aqui, parabéns! Significa que você se dedicou a buscar informações, se preparou, planejou e estudou sobre este planeta chamado Maternidade. Sabemos que o caminho não é fácil, que vários desafios vão aparecer, mas temos certeza que você está agora muito mais leve e preparada para seguir adiante.

As mães da rede Materneasy criaram este livro com muito zelo, atenção e amor. Foram agrupados todos os temas mais relevantes, da descoberta do positivo até o fim do primeiro ano do bebê. Foram compartilhados cada detalhe e experiência adquirida nesta jornada para que você possa ampliar a visão e saber discernir o que é certo, o que é errado e o que dá certo para você. Esperamos que este livro tenha lhe ajudado e que já esteja aplicando todo conhecimento adquirido.

Ser mãe é acreditar no poder que a maternidade exerce em você e nas suas escolhas. E não há nada mais forte do que a dedicação de uma mãe em construir um mundo melhor para o seu filho. Pode ter certeza, você é privilegiada por buscar e continuar na busca de conhecimento para tornar a arte de maternar mais fácil, simples e muito mais leve.

MATERNEASY *Do positivo ao primeiro ano do bebê*

Compartilhe o Materneasy com suas amigas, familiares e conhecidas. Divulgue em suas redes sociais e nos marque (*@materneasy*) e contribua para que outras mães tenham acesso a este mundo de informações visto neste livro. Pode ter certeza, você fará com que as novas mamães não se sintam sozinhas e perdidas neste universo da maternidade.

A você, que esteve conosco ao longo deste livro, nosso MUITO OBRIGADA!

REDE DE MÃES MATERNEASY.

ANEXOS

Os anexos deste livro vão complementar os capítulos e auxiliar de forma prática. Mãos à obra que há um bebê a caminho!

Deu positivo e agora?

Glossário de siglas

A seguir, listamos as siglas mais conhecidas do mundo da maternidade. Logo logo você saberá estas siglas de cor. Utilize a tabela abaixo sempre que necessário.

SIGLA	TRADUÇÃO
AIG	Adequado para a idade gestacional
AME	Aleitamento materno exclusivo
APLV	Alergia à proteína do leite de vaca
AU	Altura uterina
BCF	Batimentos cardíacos fetais
BLW	Baby-led weaning
CC	Circunferência craniana
CA	Circunferência abdominal
CP	Casa de parto

DG	Diabetes gestacional
DNV	Declaração de nascido vivo
DPP	Data provável do parto
DUM	Data da última menstruação
EO	Enfermeira obstétrica
FIV	Fertilização in vitro
GIG	Grande para a idade gestacional
GO	Ginecologista e obstetra
IA	Introdução alimentar
IG	Idade gestacional
LA	Leite artificial (ou líquido amniótico, dependendo do contexto)
LD	Livre demanda
LM	Leite materno (ou licença-maternidade, dependendo do contexto)
PA	Pressão arterial
PC	Parto cesáreo
PD	Parto domiciliar
PED	Pediatra
PIG	Pequeno para a idade gestacional
PN	Parto normal
PNH	Parto normal humanizado
PP	Placenta prévia
PUBS	Amostragem percutânea do cordão umbilical
RCIU	Restrição do crescimento intrauterino
RN	Recém-nascido
SOP	Síndrome do ovário policístico
Suíte PPP	Quarto de pré-parto, parto e pós-parto
TP	Trabalho de parto
TN	Translucência nucal
UPMN	Último período menstrual normal
US ou USG	Ultrassom
VBAC	Vaginal birth after cesarean. Parto vaginal que ocorre após a mãe ter feito uma cesárea no parto anterior

ANEXOS

Cronograma e checklist

Cronograma

Este planejamento é apenas uma sugestão que deve ser adaptado a sua realidade e ao que pretende fazer. Os exames apontados no cronograma são apenas indicativos e os mais comuns de serem realizados. Você deve seguir a orientação do seu obstetra, que pode solicitar inclusive exames complementares que não estão aqui descritos. Esteja sempre alinhada com seu médico.

Utilize o cronograma abaixo para ser seu guia e marque o que vai ou não fazer e mãos à obra!

SEMANA	PLANEJAMENTO SUGERIDO
1-4	Possivelmente você ainda não sabe que está grávida. Continue sua vida normalmente. Ela está prestes a mudar.
5-6	Talvez agora você já tenha descoberto, bem no início: ☐ Fazer Beta HCG ☐ Procurar um obstetra e marcar consulta ☐ Alterar plano de saúde (se for o caso)
7-9	☐ Consulta com o obstetra ☐ Criar uma pasta gestante para você. Coloque tudo dentro e ande sempre com ela (exames, checklists) ☐ Cuidados com a gestante
9-11	☐ Primeiros exames da gestação ☐ Sexagem fetal
12-13	☐ Ler o livro Materneasy – O guia para a maternidade fácil ☐ Ultrassom obstétrico com Translucência nucal ☐ Planejar Chá revelação
14-16	☐ Se for viajar para fazer o enxoval no exterior, planejar a viagem ☐ Planejamento da casa ☐ Executar ações do planejamento da casa ☐ Avisar sua empresa sobre a gestação

MATERNEASY *Do positivo ao primeiro ano do bebê*

17-20	☐ Planejamento do quarto ☐ Executar ações do planejamento do quarto ☐ Fazer Chá revelação ☐ Se for viajar para fazer o enxoval no exterior, viaje neste período ☐ Começar compras do enxoval
21-24	☐ Ultrassom obstétrico morfológico ☐ Procurar uma consultora de amamentação ☐ Marcar ultrassom 4D ☐ Planejar Chá de fraldas ☐ Procurar um pediatra
25-28	☐ Fechar coleta de sangue/Tecido do cordão umbilical ☐ Visitar maternidades ☐ Exames de sangue
29	☐ Arrumar quarto do bebê ☐ Comprar consumíveis do bebê ☐ Continuar e rever compras do enxoval
30	☐ Fazer Chá de fraldas ☐ Encomendar lembrancinhas da maternidade ☐ Planejar ensaio gestante ☐ Fazer curso prático de preparo para o parto e cuidados com o recém-nascido ☐ Fechar fotografia e filmagem para o parto
31	☐ Lavar roupinhas do bebê ☐ Planejar no trabalho sua ausência durante a licença ☐ Planejar primeiros dias do bebê em casa
32	☐ Arrumar armários e gavetas do bebê ☐ Consulta pré-natal com o pediatra ☐ Pré-escolher maternidade (Plano A, B, C)
33	☐ Ultrassom obstétrico com Doppler ☐ Fazer Ensaio gestante ☐ Fazer curso com a consultora de amamentação e/ou da Maternidade escolhida ☐ Preencher plano de parto
34	☐ Arrumar mala da maternidade ☐ Planejar ensaio newborn

35	☐ Instalar cadeirinha do carro ☐ Instalar babá eletrônica no quarto ☐ Fazer exame Streptococcus B
36	☐ Arrumar lembrancinhas da maternidade ☐ Colocar malas da maternidade no carro ☐ Contatar profissionais que irão a maternidade
37	☐ Últimos detalhes e pendências ☐ Rever checklists e acertos finais
38-42	☐ Últimos detalhes e pendências ☐ Ultrassom obstétrico com perfil biofísico fetal ☐ Relaxar e esperar o nascimento ☐ Comunicar empresa do nascimento

Planejamento: o enxoval do bebê

Enxoval do bebê

É hora de ir às compras! Aproveite esse momento incrível de escolher cada pecinha de roupa, cada mantinha, e imaginar seu bebê em breve utilizando tudo isso. Mas lembre-se de que é bastante coisa e para enxoval o céu é o limite. Mas na verdade quem tem limite é o cartão de crédito.

Faça antes um orçamento, pesquise preços entre lojas físicas e on-line, pesquise itens similares de marcas distintas e negocie os preços e descontos. Lembre-se de tudo que foi abordado no livro sobre as características importantes de cada item, em especial os mais caros, como o carrinho.

Listamos aqui os itens necessários e utilizados pelas mães da rede Materneasy, com um maior foco no necessário para os três primeiros meses. Existem certamente muitos outros, mas se não estão nesta lista é porque não se mostraram necessários na maioria dos casos, e aqui, como em todo livro, priorizamos a maternidade prática.

Sinta-se à vontade para comprar itens que não estão na lista, mas se informe sobre seu uso, pesquise um pouco antes. Esta lista é apenas uma sugestão e deve ser adaptada a sua realidade e desejos. O checklist está organizado por setores, como os cômodos da casa, itens de higiene e roupas. Deixamos espaços para que você anote algo mais que deseja comprar.

Alguns itens como mamadeiras e chupetas, se for utilizar, é interessante comprar apenas uma ou duas, ver se o bebê vai se adaptar, e então comprar o kit da mesma marca. Para tudo que tem dúvida se vai funcionar, compre apenas uma unidade e teste.

Os itens necessários para introdução alimentar não constam dessa lista. Ainda vão se passar alguns meses até você precisar deles. Dê um fôlego para o seu cartão. Quando for a hora, o checklist está no módulo de introdução alimentar.

Roupas

Lembre-se de tudo que foi falado durante o livro. Vamos relembrar os mais importantes:

- Leve em consideração o clima onde mora e a temperatura da casa. Para os tamanhos das roupas, leve em consideração a estação do ano em que o bebê vai nascer para ter uma referência.
- Caso vá viajar para o exterior para o enxoval, é necessário aproveitar a viagem para comprar tudo. Em caso negativo,

ANEXOS

compre as coisas aos poucos, bebês crescem realmente muito rápido.
- Priorize sempre segurança e conforto. É superválido ter algumas roupinhas mais bonitinhas, mas lembre-se do que foi falado sobre itens que podem incomodar o bebê ou oferecer riscos. Roupinhas para passear e sapatinhos não estão na lista abaixo, isso fica de acordo com seu critério.

Exemplo: Tabela para um bebê com nascimento previsto para Fevereiro.

TAMANHO e ESTAÇÕES DO ANO		
Idade do bebê	*Meses do ano*	*Estação do ano*
0-3 meses	Fevereiro – Abril	Verão e Outono
4-6 meses	Maio – Julho	Outono e Inverno
7-9 meses	Agosto – Outubro	Inverno e Primavera
10-12 meses	Novembro – Janeiro	Primavera e Verão

Primavera: 21 setembro até 20 dezembro	Outono: 21 março até 20 junho
Verão: 21 dezembro até 20 março	Inverno: 21 junho até 20 setembro

Baseado na tabela acima, monte a do seu bebê:

TAMANHO e ESTAÇÕES DO ANO		
Idade do bebê	*Meses do ano*	*Estação do ano*
0-3 meses		
4-6 meses		
7-9 meses		
10-12 meses		

MATERNEASY *Do positivo ao primeiro ano do bebê*

Checklist do bebê

Casa

QUARTO DO BEBÊ	COZINHA
☐ 1 berço ☐ 1 colchão para berço ☐ 1 protetor impermeável para colchão ☐ 1 cômoda ☐ 1 poltrona ☐ 1 cama auxiliar ☐ 1 mosquiteiro ☐ 1 mesinha de apoio para poltrona ☐ 1 abajur ou luz noturna ☐ 1 babá eletrônica ☐ 1 trocador ☐ 1 cesto de roupas ☐ 1 lixeira ☐ 4 jogos de lençóis para berço ☐ 20 cabides para roupas ☐ _____ ☐ _____ ☐ _____ ☐ _____ ☐ _____ ☐ _____ ☐ _____ ☐ _____ ☐ _____	☐ 1 esterilizador de mamadeiras ☐ 2 panos de prato* ☐ Bucha anti-risco* ☐ 1 pote plástico grande* para guardar itens ☐ 1 pote plástico pequeno* para guardar itens ☐ _____ ☐ _____ ☐ _____ ☐ _____ *Itens para uso exclusivo nos itens do bebê
	LAVANDERIA
	☐ 1 balde ☐ 1 escovinha de roupas ☐ Sabão de coco em barra ☐ Sabão próprio para roupas de bebê ☐ _____ ☐ _____ ☐ _____

Higiene e saúde

HIGIENE	BANHO
☐ 1 kit escova de cabelo com cerdas macias e pente ☐ 1 kit manicure (com cortador, tesourinha e lixa) ☐ 1 kit higiene (cesta + garrafa térmica + potes para algodão, água (molhadeira) e cotonete) ☐ 1 escova de dente ☐ 1 pasta de dente com flúor ☐ _____ ☐ _____ ☐ _____ ☐ _____ ☐ _____	☐ 1 banheira ☐ 1 suporte para banheira ☐ 1 termômetro para banheira ☐ 1 redinha ou apoio para o bebê ☐ 2 sabonetes líquidos da cabeça aos pés próprios para RN ☐ 3 toalhas com capuz (toalha-fralda) ☐ 1 óleo mineral ☐ _____ ☐ _____ ☐ _____ ☐ _____ ☐ _____

MATERNEASY *Do positivo ao primeiro ano do bebê*

CONSUMÍVEIS	FARMACINHA
☐ 6 pacotes de algodão ☐ 4 pacotes de fralda RN ☐ 4 pacotes de lenços/toalhas umedecidas ☐ 2 caixas de hastes flexíveis ☐ 1 caixa de hastes flexíveis ponta especial ☐ 1 vidrinho de álcool 70% ☐ 3 álcoois gel para as mãos (1 quarto do bebê, 1 na sala e 1 no banheiro social) ☐ 6 pacotes de gaze Saquinhos para descarte de fraldas ☐ 1 soro fisiológico ☐ _____ ☐ _____ ☐ _____ ☐ _____ ☐ _____ ☐ _____ ☐ _____ ☐ _____	☐ 1 pote ou bisnaga de pomada para assadura (prevenção) ☐ 1 pote ou bisnaga de pomada para assadura c/ óxido de zinco (tratamento) ☐ 1 termômetro (preferencialmente infravermelho, sem contato) ☐ 1 bolsinha térmica para cólicas ☐ Remédios prescritos pelo pediatra (antitérmico, analgésico, antigases, probióticos, vitaminas) ☐ 1 loção hidratante ☐ 1 aspirador nasal ☐ 1 seringa para fazer lavagem nasal ☐ 1 nebulizador (de preferência portátil e que funcione também a pilha ou bateria) ☐ _____ ☐ _____ ☐ _____ ☐ _____

Passeio

PASSEIO	VIAGEM
☐ 1 carrinho ☐ 1 bebê conforto ou cadeirinha ☐ 1 canguru ou sling ☐ 1 mochila do bebê + trocador portátil ☐ 1 espelho retrovisor para o carro ☐ _____ ☐ _____ ☐ _____ ☐ _____ ☐ _____ ☐ _____ ☐ _____ ☐ _____	☐ 1 berço portátil ☐ 1 banheira portátil ☐ _____ ☐ _____ ☐ _____ ☐ _____ ☐ _____ ☐ _____ ☐ _____ ☐ _____ ☐ _____ ☐ _____

MATERNEASY *Do positivo ao primeiro ano do bebê*

Diversos

ALIMENTAÇÃO INICIAL DO BEBÊ	OUTROS
☐ 1 almofada de amamentação ☐ 1 mamadeira pequena ☐ 1 escova de lavar mamadeira ☐ 1 escorredor de mamadeira ☐ 1 porta-leite em pó ☐ 5 potes para armazenar leite (Caso pretenda doar ou estocar para o bebê) ☐ _____ ☐ _____ ☐ _____ ☐ _____ ☐ _____ ☐ _____	☐ 2 chupetas ☐ 1 porta chupetas ☐ 2 prendedores de chupeta ☐ 1 ninho ☐ _____ ☐ _____ ☐ _____ ☐ _____ ☐ _____ ☐ _____ ☐ _____ ☐ _____
BRINQUEDOS	☐ _____
☐ 1 tapete de atividades ☐ 1 tapetinho com brinquedos ☐ 1 cadeirinha de descanso ☐ Brinquedos para estímulo (como chocalho, texturas, barulhinhos, espelho...) ☐ _____ ☐ _____ ☐ _____ ☐ _____ ☐ _____ ☐ _____	☐ _____ ☐ _____ ☐ _____ ☐ _____ ☐ _____ ☐ _____ ☐ _____ ☐ _____ ☐ _____

ANEXOS

Roupas

RECÉM-NASCIDO (RN)	0-3 MESES (P)
☐ 6 bodies manga longa ☐ 4 bodies manga curta ☐ 6 calças com ou sem pé ☐ 6 macacões ☐ 2 casaquinhos ☐ 3 pares de luva (usar somente na maternidade) ☐ 6 pares de meia ☐ 2 macacões pijama ☐ _____ ☐ _____ ☐ _____ ☐ _____	☐ 12 bodies manga longa ☐ 8 bodies manga curta ☐ 8 calças com ou sem pé ☐ 6 macacões ☐ 4 shorts ☐ 2 casaquinhos ☐ 6 pares de meia ☐ 5 macacões pijama ☐ _____ ☐ _____ ☐ _____ ☐ _____
3-6 MESES (M)	**6-9 MESES (G)**
☐ 12 bodies manga longa ☐ 10 bodies manga curta ☐ 8 calças com ou sem pé ☐ 5 macacões ☐ 4 shorts ☐ 2 casaquinhos ☐ 6 pares de meia ☐ 5 macacões pijama ☐ _____ ☐ _____ ☐ _____ ☐ _____ ☐ _____	☐ 12 bodies manga longa ☐ 14 bodies manga curta ☐ 6 calças sem pé ☐ 5 macacões ☐ 6 shorts ☐ 2 casaquinhos ☐ 8 pares de meia ☐ 5 macacões pijama ☐ _____ ☐ _____ ☐ _____ ☐ _____ ☐ _____

OUTROS ITENS DE TECIDO	OUTROS
☐ 4 mantas ☐ 2 cobertores ☐ 20 fraldas de boca (no mínimo) ☐ 6 fraldas de pano ☐ 5 babadores bandana ☐ _____ ☐ _____ ☐ _____ ☐ _____ ☐ _____ ☐ _____ ☐ _____	☐ _____ ☐ _____ ☐ _____ ☐ _____ ☐ _____ ☐ _____ ☐ _____ ☐ _____ ☐ _____ ☐ _____ ☐ _____ ☐ _____

Para a mamãe

PARA A MAMÃE
☐ 4 sutiãs de amamentação
☐ Absorventes para os seios
☐ 3 camisolas / pijamas
☐ Absorvente pós-parto ou fralda
☐ 1 robe
☐ 1 garrafa de água
☐ _____
☐ _____
☐ _____
☐ _____
☐ _____

ANEXOS

Planejamento: eventos

Chá de fraldas

É hora de mais um evento! Talvez seja a chance de rever algumas pessoas que não vê há algum tempo, receber muitos carinhos no barrigão e tirar bastante fotos. A festa é boa, mas falemos de números.

O número de fraldas que vai pedir em seu chá de fraldas varia de acordo com o número de convidados. A seguir há dois exemplos. Normalmente, casais presenteiam com um pacote de fraldas, então, no exemplo de cinquenta ou cem convidados, apenas metade disso serão pacotes. Caso seu chá possua mais ou menos convidados, faça as alterações dos tamanhos diminuindo ou aumentando proporcionalmente o número de fraldas dos tamanhos M e G. Dessa forma você garante as fraldas para os primeiros meses do bebê.

A tabela apresentada é apenas uma referência. Priorize pedir um número maior de fraldas P e M. Fraldas tamanho G, apesar de ser o tamanho mais utilizado pelo bebê, assim como o tamanho M, podem estar com a data validade próxima e você não conseguirá utilizar. Fraldas tamanho RN são pouco utilizadas pelo bebê, sobretudo para aqueles bebês que nascem com o peso acima de 3,5kg. Por isso, não há tamanho RN no exemplo. Prefira em seu chá solicitar fraldas tamanho RN+ ou mesmo a partir do tamanho P.

O exemplo engloba até o tamanho G. Tamanhos maiores vão depender do peso e do desenvolvimento do bebê e há o risco de a validade expirar antes da utilização.

MATERNEASY *Do positivo ao primeiro ano do bebê*

Lista modelo para 50 convidados

TAMANHO	RN+	P	M	G
Peso	3-6 kg	5-7,5 kg	6-9,5 kg	9-12,5 kg
Quantidade	2	10	9	4

Lista modelo para 100 convidados

TAMANHO	RN+	P	M	G
Peso	3-6 kg	5-7,5 kg	6-9,5 kg	9-12,5 kg
Quantidade	2	10	24	14

Planejamento: Malas da maternidade

Mala da Mamãe e do Papai

PARA A MAMÃE
☐ 4 pijamas ou camisolas, dê preferência aos com abertura para amamentar
☐ 2 sutiãs de amamentação
☐ 1 top caso opte pelo parto normal
☐ Prendedor de cabelo
☐ 4 a 6 calcinhas de algodão e confortáveis (de preferência calcinhas grandes)
☐ 1 robe, opcional, mas bem útil para receber as visitas
☐ Meias, você pode sentir frio nos pés
☐ Chinelo
☐ Roupa para sair da maternidade e tirar aquela foto clássica (roupa, sapatos confortáveis e os acessórios se for arrasar na produção)
☐ Almofada de amamentação, para facilitar
☐ Cartão gestante

PARA O PAPAI
- [ ] 2 pijamas ou roupa para dormir
- [ ] 2 trocas de roupa
- [ ] Meias
- [ ] Cuecas
- [ ] Chinelo
- [ ] Carregador do celular e bateria extra (Powerbank) se tiver

ITENS DE HIGIENE
- [ ] Escovas e creme dental
- [ ] Fio dental
- [ ] Shampoo e condicionador (se usar) de ambos
- [ ] Sabonete
- [ ] Escova de cabelo ou pente
- [ ] Desodorante
- [ ] Chinelo para o banho
- [ ] Maquiagem, se utilizar
- [ ] Toalha de banho e de rosto, se preferir levar
- [ ] Absorvente pós-parto ou fraldas adultas. A fralda é muito mais confortável e absorve muito mais

Mala do bebê

PARA O BEBÊ
- [ ] 6 bodies manga longa
- [ ] 6 calças com ou sem pezinho ("mijões" ou "culotes")
- [ ] 6 macacões
- [ ] 6 pares de meia
- [ ] Inúmeras fraldas de boca
- [ ] 2 casaquinhos com botões na frente
- [ ] 2 mantas ou cobertor
- [ ] 1 conjunto de roupa para saída da maternidade
- [ ] 1 escova macia para cabelo
- [ ] 1 par de luvas
- [ ] 1 touca
- [ ] Caderneta de saúde
- [ ] Lembrancinhas para as visitas e enfeite de porta (Caso tenha preparado. Se não, não se preocupe, não são essenciais)

ITENS DE HIGIENE
- [ ] 2 toalhas fraldas
- [ ] Sabonete líquido próprio para recém-nascido
- [ ] 1 pacote de fralda descartável
- [ ] Hastes flexíveis
- [ ] Álcool 70%
- [ ] Bolinhas de algodão
- [ ] Lenços umedecidos
- [ ] Pomada para assadura
- [ ] Sacolinha para roupas sujas

A importância da rotina

Rotina

As rotinas sugeridas abaixo são somente um guia. Exemplificamos rotinas para um bebê que vai à creche em tempo integral, um que vai apenas em meio período e para bebês que ficam em casa, em diferentes idades. Na rotina da noite é sugerido um banho relaxante.

Adapte-as a sua realidade e necessidades do bebê. Lembre-se de que a intenção da rotina não é ser rígida e sim estruturada. Ela deve refletir uma sequência de eventos que ocorrem todos os dias, mais ou menos nos mesmos horários. Notem que a sequência estruturada é dormir > comer > brincar > dormir > comer > brincar... e assim por diante. Desta forma, o bebê estará desperto no momento das refeições. Lembre-se de que falamos sobre a importância da rotina para o sono, alimentação e desenvolvimento do bebê.

Legenda

	Bebê acordado
	Sono/sonecas
	Banho
	Alimentação (leite materno ou fórmula)
	Alimentação (almoço/jantar)
	Alimentação (fruta)
	Atividades / hora de brincar
	Escola/creche/berçário

MATERNEASY *Do positivo ao primeiro ano do bebê*

Exemplo de rotina – bebê de 4 meses (que fica em casa)

06h30 às 07h00		Acorda + rotina da manhã
07h15 às 07h45		Mama
07h45 às 08h20		Atividades / hora de brincar
08h20 às 09h00		Soneca 1 (média 40 min)
09h00 às 10h20		Atividades / hora de brincar
10h20 às 11h00		Soneca 2 (média 40 min)
11h00 às 11h30		Mama
11h30 às 12h30		Atividades / hora de brincar
12h30 às 14h00		Soneca 3 (média 1 h)
14h00 às 14h30		Atividades / hora de brincar
14h30 às 15h00		Banho
15h00 às 15h30		Mama
15h30 às 17h00		Atividades / hora de brincar
17h00 às 17h30		Soneca 4 (média de 30 min)
17h30 às 19h00		Atividades / hora de brincar
19h00 às 19h30		Mama + rotina da noite
19h30 às 06h00		Dorme (sono noturno)

ANEXOS

Exemplo de rotina – bebê de 6 meses (que vai para a creche em período integral)

06h30 às 07h00		Acorda + rotina da manhã
07h15 às 07h45		Mama
07h45 às 08h00		Chegada à escola
08h20 às 09h00		Soneca 1 (média 40 min)
09h00 às 09h30		Fruta da manhã
09h30 às 10h20		Atividades / hora de brincar
10h20 às 11h00		Soneca 2 (média 40 min)
11h00 às 11h30		Almoço
11h30 às 12h30		Atividades / hora de brincar
12h30 às 13h00		Mama
13h00 às 14h00		Soneca 3 (média 1h)
14h00 às 14h30		Fruta da tarde
14h30 às 15h00		Banho
15h00 às 15h30		Mama
15h30 às 17h00		Atividades / hora de brincar
17h00 às 17h30		Soneca 4 (média 30 min)
17h45		Saída da escola
17h45 às 19h00		Atividades / hora de brincar
19h00 às 19h30		Mama + rotina da noite
19h30 às 06h30		Dorme (sono noturno)

MATERNEASY *Do positivo ao primeiro ano do bebê*

Exemplo de rotina – bebê de 8 meses (que vai para a creche meio período)

06h30 às 07h00		Acorda + rotina da manhã
07h15 às 07h45		Mama
07h45 às 08h00		Chegada à escola
08h20 às 09h00		Soneca 1 (média 40 min)
09h00 às 09h30		Fruta da manhã
09h30 às 11h00		Atividades / hora de brincar
11h00 às 11h30		Almoço
11h45		Saída da escola
12h30 às 13h00		Mama
13h00 às 14h00		Soneca 2 (média 1h)
14h00 às 14h30		Fruta da tarde
14h30 às 15h00		Banho
15h00 às 16h30		Atividades / hora de brincar
16h30 às 17h00		Jantar
17h00 a 17h30		Soneca 3 (média 30 min)
17h30 às 19h00		Atividades / hora de brincar
19h00 às 19h30		Mama + rotina da noite
19h30 às 06h30		Dorme (sono noturno)

ANEXOS

Exemplo de rotina – bebê de 10 meses (que vai para a creche meio período)

06h30 às 07h00		Acorda + rotina da manhã
07h15 às 07h45		Mama
07h45 às 08h00		Chegada à escola
08h20 às 09h00		Soneca 1 (média 40 min)
09h00 às 09h30		Fruta da manhã
09h30 às 11h00		Atividades / hora de brincar
11h00 às 11h30		Almoço
11h45		Saída da escola
12h30 às 13h00		Mama
13h00 às 14h30		Soneca 2 (média 1h)
14h30 às 15h00		Fruta da tarde
15h00 às 15h30		Banho
15h30 às 16h30		Atividades / hora de brincar
16h30 às 17h00		Jantar
17h00 às 17h20		Soneca 3 (média 20 min)
17h20 às 19h30		Atividades / hora de brincar
19h30 às 20h00		Mama + rotina da noite
20h00 às 06h30		Dorme (sono noturno)

MATERNEASY *Do positivo ao primeiro ano do bebê*

Exemplo de Rotina – bebê de 12 meses (que fica em casa e faz duas sonecas)

06h30 às 07h00		Acorda + rotina da manhã
07h00 às 07h30		Mama
07h30 às 08h30		Atividades / hora de brincar
08h30 às 09h00		Fruta da manhã
09h00 às 10h00		Soneca 1 (média 1 h)
10h00 às 11h00		Atividades / hora de brincar
11h00 às 11h30		Almoço
11h30 às 13h00		Atividades / hora de brincar
13h00 às 13h30		Mama
13h30 às 15h30		Soneca 2 (média entre 1h30min a 2h)
15h30 às 16h00		Fruta da tarde
16h00 às 16h30		Banho
16h30 às 17h00		Atividades / hora de brincar
17h00 às 17h30		Jantar
17h30 às 19h30		Atividades / hora de brincar
19h30 às 20h00		Mama + rotina da noite
20h00 às 06h30		Dorme (sono noturno)

ANEXOS

Exemplo de rotina – bebê de 12 meses (que fica em casa e faz 1 soneca)

06h20 às 07h00		Acorda + rotina da manhã
07h00 às 07h30		Mama
07h30 às 08h30		Atividades / hora de brincar
08h30 às 09h00		Fruta da manhã
09h00 às 11h00		Atividades / hora de brincar
11h00 às 11h30		Almoço
11h30 às 12h30		Atividades / hora de brincar
12h30 às 13h00		Mama
13h00 às 15h00		Soneca (média entre 1h30m à 2h)
15h00 às 15h30		Fruta da tarde
15h30 às 16h00		Banho
16h00 às 17h00		Atividades / hora de brincar
17h00 às 17h30		Jantar
17h30 às 19h30		Atividades / hora de brincar
19h30 às 20h00		Mama + rotina da noite
20h00 às 06h30		Dorme (sono noturno)

Sono do bebê – a teoria

Tabela de sono do bebê

A tabela da janela de sono é um referencial para você conduzir o seu bebê. Esteja atenta aos sinais, pois pode ser que seu bebê apresente sinais de sono para dormir antes do fim da janela ou esteja na janela diferente da idade correspondente a dele (isso pode ocorrer na transição entre as idades). Normalmente, a janela de sono da primeira soneca tende a ser mais curta.

IDADE DO BEBÊ	TEMPO ACORDADO ENTRE AS SONECAS	DURAÇÃO DAS SONECAS	NÚMERO DE SONECAS	TEMPO TOTAL DE SONO DIÁRIO
Recém-nascido	20 a 45min	40min até 2h30min	5 a 7 sonecas	16 a 20h
1 mês	45 min a 1h	40min até 2h30min	5 a 6 sonecas	16 a 18h
2 meses	1h a 1h30min	40min até 2h30min	5 a 6 sonecas	15 a 17h
3 meses	1h30min	40min até 2h	4 a 5 sonecas	15 a 17h
4 meses	1h30min a 2h	40min até 2h	3 a 4 sonecas	14 a 16h
5 meses	3h a 2h30min	40min até 2h	3 sonecas	14 a 15h
6 meses	2h30min a 3h	40min até 2h	2 a 3 sonecas	14 a 15h
7 meses	3h	40min até 2h	2 a 3 sonecas	13 a 14h
8 a 12 meses	3h a 3h30min	40min até 2h	2 sonecas	13 a 15h
13 a 24 meses	4 a 6h	40min até 2h	1 a 2 sonecas	12 a 13h
25 a 36 meses	6 a 7h	40min até 1h	1 soneca	11 a 12h

Sinais de sono

Sinais mais notáveis: bocejar, coçar os olhos, rosto, cabelos ou orelhas, perda de interesse no ambiente, olhar parado, ficar muito quieto.

Sinais mais sutis: olhos avermelhados (globo ocular e região das olheiras), vermelhidão em volta da sobrancelha, mau humor, choro (choramingos), agitação, irritação e até mesmo soluços. Seu bebê poderá apresentar um ou vários desses sinais.

Marcos de desenvolvimento

Tabela de Denver II

A escala de Denver é uma escala de triagem que verifica o atraso do desenvolvimento infantil, muito utilizada pelos pediatras. Foi desenvolvida por Willian K. Frankenburg em 1967, na Universidade de Colorado, Denver, para ser aplicada em crianças de até 6 anos de idade. A tabela apresentada é apenas uma orientação para acompanhar os marcos de desenvolvimento da criança, não deve, portanto, substituir a avaliação e acompanhamento do pediatra e de profissionais especializados.

MATERNEASY *Do positivo ao primeiro ano do bebê*

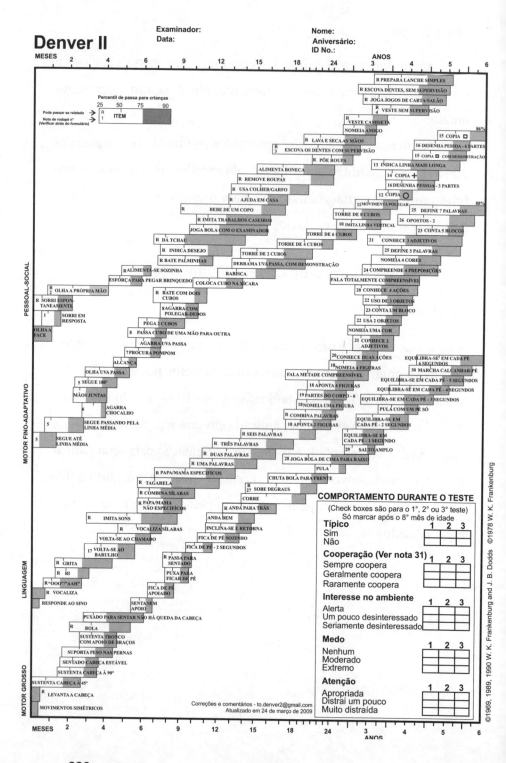

Introdução alimentar – a prática

Enxoval da introdução alimentar

Mais uma vez chegou a hora de ir às compras. Seu bebê cresceu e em breve começará a se alimentar. Há uma infinidade de acessórios disponíveis. Por isso, assim como no enxoval, faça antes um orçamento com seu parceiro, pesquise preços entre lojas físicas e on-line, itens similares de marcas distintas e negocie os valores e descontos. Lembre-se de tudo que foi abordado no livro sobre as características importantes de cada item.

Listamos aqui os itens necessários e utilizados pelas mães da rede Materneasy na introdução alimentar. Certamente existem muito outros disponíveis no mercado, mas se não estão na lista é porque não são essenciais. Sinta-se à vontade para acrescentar itens. Esta lista é apenas uma sugestão e deve ser adaptada a sua realidade e desejos. Deixamos alguns espaços para que você anote algo mais que deseja comprar.

PREPARO E ARMAZENAMENTO DAS REFEIÇÕES	PARA O BEBÊ
☐ 6 potes de armazenamento BPA Free ☐ 4 potes de armazenamento de vidro ☐ 6 formas de gelo de silicone ☐ 1 cesto a vapor de inox ☐ 1 espremedor de batatas ☐ 1 cortador de legumes ☐ 1 descascador de alimentos ☐ Sacos plásticos com Ziplock ☐ 1 lancheira térmica para levar todos os itens quando sair ☐ _____ ☐ _____ ☐ _____ ☐ _____ ☐ _____ ☐ _____ ☐ _____ ☐ _____ ☐ _____ ☐ _____ ☐ _____	☐ 1 assento exclusivo para alimentação ☐ 6 colheres ☐ 2 garfos ☐ 1 prato simples (com ou sem ventosa) ☐ 1 prato de treinamento ☐ 1 prato com divisória ☐ 2 bowls (com ou sem ventosa) ☐ 4 babadores de silicone ou plástico ☐ 2 copos de treinamento ☐ 1 garrafa térmica com canudo ☐ 1 pote térmico ☐ Babadores descartáveis ☐ 1 redutor sanitário ou troninho ☐ _____ ☐ _____ ☐ _____ ☐ _____ ☐ _____ ☐ _____ ☐ _____ ☐ _____ ☐ _____

ANEXOS

Grupos alimentares

Cereais	• Arroz • Macarrão • Milho • Quinoa
Tubérculos e raízes	• Batata-inglesa • Batata-doce • Batata-baroa (ou mandioquinha) • Cará • Inhame • Mandioca
Leguminosas	• Ervilha • Feijão • Grão de bico • Lentilha
Proteínas	• Carne de frango • Carne bovina • Carne suína • Ovo • Peixe
Hortaliças verdes	• Abobrinha • Acelga • Alface • Almeirão • Brócolis • Chuchu • Couve • Espinafre • Jiló • Ora-pro-nobis • Pepino • Quiabo • Rúcula • Taioba • Vagem
Hortaliças coloridas	• Abóbora • Berinjela • Beterraba • Cenoura • Couve-flor • Nabo • Tomate

Dicas	Selecione um alimento de cada grupo e monte o pratinho do seu bebê. Não se esqueça de colocar 1 colher de sopa de azeite

MATERNEASY *Do positivo ao primeiro ano do bebê*

Cardápio semanal

	Fruta	Almoço	Fruta	Jantar
Segunda-feira				
Terça-feira				
Quarta-feira				
Quinta-feira				
Sexta-feira				
Sábado				
Domingo				

BIOGRAFIA DAS AUTORAS

Fernanda Magalhães

Mãe da Maria Victoria (Vicky) e analista de sistemas, Fernanda viu que planilhas, projetos e bebês são bem parecidos e as técnicas utilizadas para um, poderiam servir para o outro. Fã de rotina, defensora das boas noites de sono e do tempo de assistir a seriados com o papai. Uma mãe multitarefas do século 21.

Danielle Mattioly

Mãe da Júlia (Juju) e madrinha do Eduardo (Dudu), biomédica de formação, atua na área de consultoria e gestão.
Viu que maternidade é nada mais do que um projeto. Um projeto que transforma a sua vida e que deve seguir todas as boas práticas recomendadas. Com muito amor e dedicação, defende junto ao papai que a rotina é o sucesso para uma maternidade mais leve e feliz.

Livros para mudar o mundo. O seu mundo.

Para conhecer os nossos próximos lançamentos
e títulos disponíveis, acesse:

🌐 www.**citadel**.com.br

f /**citadeleditora**

📷 @**citadeleditora**

🐦 @**citadeleditora**

▶ Citadel - Grupo Editorial

Para mais informações ou dúvidas sobre a obra,
entre em contato conosco através do e-mail:

✉ contato@**citadel**.com.br